MICHEL IMBEAU

JE MANGE
JE ME GUÉRIS
MES ALIMENTS SONT MES MÉDICAMENTS

LES ÉDITIONS
D-Bogue

Les informations et les directives contenues dans ce livre proviennent de recherches personnelles dans les ouvrages cités dans la bibliographie, ou de résultats obtenus à l'aide d'un programme informatique conçu par l'auteur. Ce matériel n'est pas publié dans l'intention de se substituer à des consultations judicieuses auprès d'un médecin ou d'un professionnel de la santé. L'éditeur et l'auteur ne peuvent être tenus responsables de tout effet adverse ou conséquence négative résultant ou attribuable à l'utilisation d'une suggestion, d'une substance ou d'un protocole mentionné dans le présent ouvrage.

Données de catalogage avant publication (Canada)

Imbeau, Michel, 1937-

   Je mange, je me guéris : mes aliments sont mes médicaments

   Comprend des réf. bibliogr. et un index

   ISBN 2-9806414-0-5

   1. Acides aminés dans l'alimentation humaine. 2. Acides aminés - Effets physiologiques. 3. Acides aminés - Emploi en thérapeutique. 4. Santé - Aspect nutritionnel. I. Titre.

TX553.A5I42 1999   613.2'82   C99-941227-2

LES ÉDITIONS D-BOGUE
13 111, Lorraine
Pierrefonds (Québec)
H8Z 1H9
   Tél. : (514) 696-7820
   Courriel : dbogue@colba.net
   http://imbeau.net/D-bogue/indexdb.html
   Vezinadupault . com
© COPYRIGHT 1999
Tous droits réservés sauf autorisation préalable

Dépôt légal : Bibliothèque nationale du Québec, 1999
Dépôt légal : Bibliothèque nationale du Canada, 1999

SOMMAIRE

Modifications

Extrait de : http://imbeau.net/D-bogue/indexdb.html :

Nous avions bien en mains une conférence de M. Robert R. Barefoot, mais depuis la publication de son livre, *The calcium factor...*, des ajustements à *Je mange, je me guéris...* s'imposent.

P.25, paragraphe 1 : « Exception de la vitamine E, les vitamines liposolubles se révèlent toxiques en surdosage... en excédent d'inventaire. » Ce paragraphe est à biffer.

Les vitamines liposolubles, tout comme tout autre nutriment, même l'eau, deviennent toxiques quand on en consomme trop, c'est de fait un truisme. Cependant, l'auteur que nous venons de citer présente plusieurs études valides pour démontrer que pour les vitamines A et D, des prises de 100 fois supérieures aux limites recommandées présentent toujours les bienfaits recherchés sans les dangers contre lesquels on prétendait vouloir nous prémunir. La vitamine K demeure cependant à surveiller pour ceux dont le sang est déjà épais ainsi que pour ceux qui doivent faire éclaircir (liquéfier) leur sang.

Compte tenu de cette rectification, il serait avantageux que la section 2.1, aux pages 183 et 184, et intitulée « Dosages limites de certains aliments » soit considérée dépassée .

En conséquence, bien vouloir dorénavant ignorer les parenthèses figurant à la gauche de certains aliments aux pages 185 à 215.

Les Éditions D-Bogue

PRÉAMBULE

Au départ, la conviction intime d'avoir en mains de l'information intéressante, utile sinon surprenante, m'a convaincu de faire l'effort d'écrire pour en faire profiter d'autres qui pourraient (qui sait?) devenir reconnaissants de leur avoir ouvert des portes et donné accès à une aide aussi précieuse!

Le terme «précieux», utilisé ici, revêt deux sens; «rare», pour le moment, parce que guère familier, et d'un apport personnel «particulièrement satisfaisant», à mesure que la familiarité s'installe.

En seconde analyse, si le sujet a tant d'importance, comment se fait-il qu'il soit si peu connu, et ce, d'autant plus que la plus grande partie des informations de l'ouvrage proviennent non pas de l'auteur mais de documents à large diffusion dans le public?

La structure du présent livre a pris graduellement forme de la réponse trouvée à cette question.

Le coeur de l'ouvrage, pour ne pas dire la justification de son écriture, se retrouve dans le quatrième chapitre où figurent les caractéristiques thérapeutiques, physiologiques et nutritives de vingt-quatre (plus une artificielle) substances nourrissantes, communes comme c'est pas possible de l'être et hautement médicinales.

Thérapeutiques veut dire qu'elles peuvent être utilisées pour traiter malaises et maladies; physiologiques, qu'elles relèvent des processus qui soutiennent ou permettent que la vie existe; nutritives, qu'elles sont d'un apport essentiel pour maintenir nos mécanismes en état d'opération; médicinales, qu'elles permettent la guérison ou le retour à la santé. C'est pas rien quand on considère dans quel champ miné on s'aventure!

Les spécialistes de la santé, dans leur travail de soulagement ou de guérison de personnes souffrantes, maladives ou malades, peuvent sauter directement au coeur de l'ouvrage, quitte, à revenir sur les trois premiers chapitres.

Malgré leur formation fort avancée en nutrition (nutritionnistes cliniques ou sportifs, diététiciens, physiologistes...), en Pharmacopée (pharmaciens, médecins, infirmiers...) ou pharmacopées (naturopathes, chiropraticiens, aromathérapeutes...), il peut être avantageux (nous en sommes certain!) que les intervenants dans la santé lisent le troisième chapitre avant de s'attaquer au chapitre suivant. Des notions sur la nutrition, particulièrement au chapitre de l'assimilation des protéines, auraient avantage à être revues (et à l'occasion corrigées). En effet, certaines notions traditionnelles, même acceptées par le milieu scientifique, ont amené des conclusions ou vérités qui peuvent aller à l'encontre de certains résultats observables. De plus, comme vous le verrez, elles furent mener à des décisions erronées, pour ne pas dire dommageables, même si la plus grande rigueur intellectuelle a été mise à contribution.

En fait, sans vouloir faire injure à l'intelligence des praticiens de la santé, le chapitre troisième devrait être abordé, avant le quatrième : certaines ambiguïtés traditionnelles ont nui au pont naturel qui aurait dû et qui tarde toujours à s'installer entre les nutritionnistes et les thérapeutes.

Plusieurs personnes, au fait de l'importance de la nutrition sur leur santé, y ont ou investissent encore beaucoup d'efforts sinon d'attentions. Quand surviennent des malaises, surtout une maladie, non seulement s'en veulent-ils, mais ils se sentent fréquemment malhabiles, pour ne pas dire démunis, face au praticien de la santé, surtout si ce dernier est médecin...

Ces personnes peuvent passer outre au premier chapitre et commencer par le second. Ce chapitre a été conçu pour soutenir dans la démarche d'aquisition de commandes menant à une vie saine, et pour aider à utiliser, à bon escient, les gens qui ont été formés ou qui se sont donné comme mission de vous aider (et non de se substituer à vous, dans votre rôle) dans l'atteinte de cet objectif qu'est l'autonomie en matière de santé. Si vous vous reconnaissez dans cette catégorie de personnes, vous pourriez, malgré tout, débuter par le premier chapitre. Il est destiné, à partir des donnés que vous possédez déjà sur la nutrition, à vous permettre d'ajuster certaines notions (les vôtres ou les miennes!) qui font qu'on s'y perde si facilement en matière de santé et de nourriture.

Pour tous les autres amateurs de curiosités, de santé ou de bien-être, commencez à lire dans l'ordre proposé.

C'est normal que l'on se perde dans les dédales de la nutrition et de la santé; à peu près tout chacun peut y avoir raison et je vous en démontre l'évidence à partir de ce que vous en connaissez déjà ou que vous auriez intérêt à savoir.

Prenez ça «cool», il y a moyen de s'en sortir d'une façon empirique et scientifiquement valable : la beauté de la démarche proposée réside dans le fait que c'est dans votre propre bien-être que réside la valeur scientifique probante de votre entreprise en matière de santé.

Vous n'avez rien de radical à changer, c'est à partir de ce que vous êtes aujourd'hui et de ce que votre corps vous dira que vous saurez graduellement trouver la voie royale.

C'était, à ce jour, terriblement difficile parce qu'il existait un grand trou de connaissances factuelles, comme vous le verrez, entre l'eau, le nutriment universel par excellence, et l'énergie dont on a besoin pour vivre...

Si vous prenez autant de plaisir à lire ce livre que j'ai eu de peine à l'écrire; vous allez avoir tout un «trip»!

PRÉFACE

L'intérêt du public pour une alimentation optimum va en augmentant. De plus en plus on réévalue la qualité nutritive des aliments et les quantités de nutriments à consommer afin de faire un meilleur choix avant d'envisager une pharmacothérapie. Bien des aspects sont encore méconnus et la contribution d'autres professionnels est nécessaire.

Pas surprenant qu'un ingénieur de formation décide de simplifier ou de rendre plus compréhensible l'importance de certaines composantes de nos aliments par une analyse des acides aminés, protéines, ou protides.

De plus, la position actuelle du domaine semble être qu'une alimentation élevée en protides ne peut être recommandée étant donné que les effets sur la santé sont encore mal connus et compris. Le présent ouvrage cadre donc bien avec les autres recherches qui sont nécessaires afin de faire avancer le domaine sur ce point.

Ce document de recherche, présenté avec logique et simplicité malgré la complexité du sujet, est intéressant pour ceux et celles qui veulent mettre de l'ordre dans leurs connaissances et comprendre l'importance et la nécessité des protéines dans l'alimentation. Plusieurs listes exhaustives d'aliments où l'on peut retrouver, par exemple, les quantités de protéines spécifiques à une catégorie de produits, seront favorablement accueillies à la fois par le néophyte, l'étudiant, et le spécialiste de la santé.

Félicitations pour ton travail de patience et de qualité.

Clotilde Alain-Archambault, Diététiste professionnelle
Mars 1999

CHAPITRE 1

De la complexité d'une simplicité.

Ce livre veut interpeller ceux pour qui la santé importe et aussi les amateurs de curiosités.

Sans être moi-même tellement préoccupé, au départ, par les problèmes de santé, je suis tombé, je crois, sur quelque chose qui pourrait vous surprendre, comme je l'ai été, et, en prime, s'avérer éventuellement très utile... une mine de trucs et, qui sait, une planche de salut?

J'ai à l'esprit cette personne, amateur de vélo, qui ne pouvait plus en faire parce qu'elle avait un cartilage au genou prématurément usé et qu'il n'y avait plus rien à faire; l'âge, vous savez...

Dans cette histoire, la personne n'était pas en quête d'une suggestion de traitement; son médecin l'avait bien préparé au sort qui l'attendait. Il m'informait tout simplement de cette limitation physique devenue presque une infirmité, qui le privait d'une activité qu'il pratiquait avec beaucoup de plaisir.

De fait, en y pensant bien, il me parlait peut-être de son cas pour me narguer. Il connaissait mes nouvelles préoccupations et son état confirmé par une expertise autrement plus valable que la mienne, constituait pour lui une certitude.

Nous avions un diagnostic. Nous devions tous les deux admettre, cependant, l'existence d'un véritable paradoxe. Une des caractéristiques des êtres vivants n'est-elle pas, justement, de réparer la plupart de ses tissus endommagés?

Si nos données s'avéraient justes, à savoir le diagnostic et la caractéristique des êtres vivants, on pouvait poser comme hypothèse que le cartilage en question ne se réparait pas parce qu'il n'avait pas à sa disposition les ingrédients pour ce faire.

Sautez un peu plus loin au texte consacré spécifiquement à l'acide aminé L-proline[1] et consultez; la fonction générale de cette substance, la recette de la gélatine naturelle que l'on extrait des os et des cartilages des animaux et le mode d'emploi indiqué.

J'ai donc suggéré à mon interlocuteur (cette manie de donner des conseils !) d'essayer de la proline avec de la lysine. Il aurait été inconvenant, il m'a semblé, de suggérer à un homme sceptique de prendre toute la recette préconisée! Les gens disent...vous savez! Même si ça figure en toutes lettres dans un livre... Si l'information était juste, on en aurait certainement entendu parler... D'ailleurs, faut voir, à l'occasion, dans quel livre « ç'a » été pigé... Un livre déniché par hasard qui n'a certes jamais été un succès de librairie !

Il a accepté d'essayer, histoire peut-être de ne pas ternir nos bonnes relations; il s'était déjà tellement avancé!

Quelques mois plus tard, nouvelle conversation avec mon interlocuteur au cours de laquelle, je m'informe, bien timidement, s'il n'a pas eu, au moins, quelqu'amélioration à son genou. Il m'a alors répondu laconiquement:«L'année dernière je n'ai pas pu faire le Tour de l'Île (de Montréal) tellement mon genou me faisait mal; après un kilomètre de bicyclette, je devais tout cesser à cause de la douleur. Cette année, j'ai fait le tour de l'Île, avec moins de préparation que les années précédentes. Je n'ai ressenti aucune douleur, en tout cas pas au genou; et tu me demandes si mon genou se porte mieux?»

Ahuri, je lui ai fait réaliser qu'il avait pris ma suggestion comme de l'argent comptant, alors qu'en fait, en pleine recherche, je n'avais aucune expérience en la matière... Enfin bref, il aurait pu, au moins, me tenir au courant. J'étais sur les dents depuis ce temps pour voir si le filon d'informations que j'avais commencé à colliger avait une certaine validité!

[1] Chapitre 4 p. 155

Il s'est montré plus gentil par la suite. Il a passé le tuyau à une autre personne affectée d'un mal analogue, mais aux épaules: un diagnostic d'usure précoce par suite de travaux manuels trop intenses durant la jeunesse. Il me l'a dit et, cette fois, j'ai senti de la reconnaissance. Il est revenu à nouveau avec son problème de haute pression, mais il semblait plus réticent cette fois-ci; son cardiologue... vous savez! Avec le coeur, on ne rit pas... Les résultats obtenus, au-delà de ses espérances!

Personnellement, j'ai essayé le truc avec l'arginine et l'amaigrissement; je n'ai presque pas perdu de poids, mais le «pousseux de crayon» que je suis devenu a retrouvé avec fierté ses bras d'étudiant qui travaillait dans «l'bois».

Et le plaisir là-dedans, sauf pour des limites de doses à l'occasion ou pour certains états de santé, il n'y a ni danger ni développement de dépendance : il s'agit de nourriture!

En avançant le mot nourriture, on ne peut pas l'éviter, je m'expose au danger de perdre l'intérêt de tous ceux qui ont pris le risque de me suivre jusqu'ici.

Vous dire comment je me suis fait écoeurer avec la nourriture: entre autres, par les diverses stratégies adoptées par ma mère pour me faire manger les plats ratés, mais qu'on ne devait pas gaspiller !

Vous dire comment je me suis fait casser les oreilles avec les :«Si tu manges bien, tu ne seras pas malade». Ce qui signifie, en langage clair :«Si tu es malade; tu manges mal ! ». C'est-y clair ça? En d'autres termes, si tu es malade, ferme-la ! Sinon fais attention à qui tu le mentionnes, car tu avoues de la négligence sur ce que tout le monde sait relever des soins les plus élémentaires! Ou encore pire, si tu subis une maladie, tu ne peux rien m'apporter de neuf ou d'intéressant puisque tu ne sais même pas qu'il faut, en premier lieu, bien manger!

Dans tel contexte, informez-vous, regardez autour de vous, et vous verrez: tout le monde mange bien; n'essayez surtout pas de vérifier la validité de leur affirmation! D'abord, ce n'est pas de vos affaires : ils ont le droit de prétendre ce qu'ils veulent sur eux-mêmes et ensuite, vous risquez de les offusquer.

Je le sais, il y en a plusieurs qui me détestent à cause de ça. Les autres, pour autres choses!

Les attitudes face à la nourriture s'avèrent tellement complexes que nous devons nous attendre à pire qu'avec les religions; c'est plus innocent cependant: il n'y a pas encore eu de guerres à ce sujet, que je sache, sauf pour composer avec la famine.

Pour simplifier la chose, on peut admettre entre «quat'zieux», les vôtres et les miens, que bien manger s'avère la chose, entre toutes, la plus complexe à laquelle nous ayons à faire face. Tâche tellement complexe que nous avons, la plupart du temps inconsciemment, recours à la tradition, aux habitudes, à l'imitation des autres, à la publicité, aux experts... pour l'accomplir ; et là, chacun a sa recette, ses menus, ses plats, ses aliments, ses suppléments, sa formule miracle... même les médecins peuvent s'en mêler. Remarquez que je n'ai pas fait mention des naturistes, des «granoles», des nouvel âge, des végétariens, de la plupart des religions qui ont leur opinion sur le sujet, de vous, de moi...

Bref, ma petite idée là-dessus peut se résumer ainsi: quand quelqu'un réussit à bien magner, il ne s'agit pas d'un résultat assuré (je n'ai pas dit recherché) mais bien d'un accident!. On cherche habituellement à éviter les accidents; toutefois, chaque fois, que nous tentons d'atteindre un objectif, malgré les probabilités défavorables, nous espérons l'accident! Cette affirmation, remarquez, ne veut pas dire que certains n'ont pas des façons de faire qui augmentent leurs probabilités d'y parvenir, mais le résultat demeure, comme nous le verrons, accidentel.

Le plus curieux dans tout cela réside dans le fait que généralement, à part certaines conditions exceptionnelles et imprévisibles, c'est parce que vous ne vous êtes pas bien nourri que vous êtes tombé malade. Telle affirmation ne veut cependant pas dire que vous l'avez fait exprès, que vous n'êtes pas à la fine pointe de la nutrition ou que vous êtes négligent ou ignorant en la matière. Mangez selon les diktats (ou injonctions, pour faire plaisir à mon éditeur) du Guide alimentaire canadien et quand vous surviendront des malaises ou mieux (!) une maladie dite «normale», vous réaliserez le C.Q.F.D. (ce qu'il fallait démontrer)!

Quand survient tel pépin, quelle contenance prendre?

Si nous admettons nous être permis quelques grands ou petits écarts face à notre ligne théorique de nutrition, il devient acceptable que, par un inévitable retour des choses, nous «devions» payer le juste prix pour ces faiblesses ou erreurs. Par la suite, une surveillance accrue s'imposera pour nous permettre, espère-t-on, d'éviter ces écarts aux conséquences pour le moins inconfortables. Dans cette filière, chaque fois que nous survient une maladie, des écarts de ligne de conduite sont retracés pour expliquer telles conséquences.

Si, par ailleurs, nous n'acceptons pas la possibilité d'avoir laissé la porte entrouverte à certains écarts, pouvant justifier telle calamité, ou qu'effectivement, il s'avère que nous ayons suivi fidèlement notre dernier mode de nutrition (ce que nos compagnons d'odyssée mettront en doute puisque les manifestations prouvent le contraire!), dans cette option, puisque notre mode de nutrition s'avère insatisfaisant, il s'agira de trouver le groupe, l'école, l'expert, le guru qui préconise un mode différent, mais qui comporte des justifications ne choquant pas trop nos valeurs, pour que le tout reparte...

Nous pouvons aussi ne pas accepter la possibilité que nous nous soyons adonnés à des écarts pouvant justifier tels malaises et la fatalité reste comme une conclusion valable. Ce genre de raisonnement insécurise, mais permet tout de même d'éviter les inconvénients des options précédentes à savoir la culpabilité suite à des écarts de conduite ou les investissements à entre-prendre dans les inévitables nouveaux compagnons de route...

Pour démontrer le bien fondé de notre affirmation précé-dente, sur l'heureux hasard de bien manger, nous allons prendre comme prémisse l'affirmation contraire, à l'effet que sous des conditions bonnes ou mauvaises (en évitant les extrêmes quoi!), on peut ne jamais être malade, en autant que nous consom-mions exactement ce dont notre corps a besoin pour faire face aux exigences de sa croissance et de son entretien, aux assauts de l'environnement, à notre façon particulière de penser et de réagir, sans oublier de renouveler l'énergie dépensée pour toutes les autres activités...

Pour ce faire, le problème se simplifie apparemment puisque nous n'avons besoin de contrôler que six (6) catégories de matières alimentaires différentes, et ce, en quantité variable, pour que le problème soit résolu; un «pet» ! Devant une telle simplicité, ne s'agirait-il que de les énumérer pour nous con-firmer dans notre assurance!

Ces catégories se présentent ainsi:

1- L'eau
2- Les acides aminés
3- Les gras
4- Les hydrates de carbone
5- Les minéraux
6- Les vitamines.

Regardons donc ces diverses catégories avec des yeux neufs: les miens. Tout ce qu'on mentionnera ici peut s'avérer de l'archiconnu pour vous, mais une perspective différente semble s'imposer pour se rendre à destination.

L'eau constitue la substance la plus importante en volume et en poids dans notre organisme: 65% environ du poids total. Avant d'aller plus loin, je vous gage que vous ne buvez pas assez d'eau! Je me trompe? Si oui (c'est que vous buvez entre six et huit verres d'eau par jour, à température normale, pas d'efforts particuliers ni d'alcool (sinon faut augmenter la ration en proportion). Soyez discret, vous faites partie d'une minorité qui se trouve en minorité même chez les gens déjà au fait de la santé et de la nutrition[2].

Au Québec, où l'eau se présente comme une denrée exceptionnellement abondante, le nombre de personnes présentant des signes (pour ne pas dire des symptômes) de carence en eau semble aussi important qu'ailleurs... C'est la fierté des pauvres que d'exhiber les mêmes maux qu'ils perçoivent chez les riches; un luxe qui ne se paie qu'en souffrances ou au mieux, lorsque chanceux (dans l'illusoire malchance), en inconforts.

Vingt-et-un acides aminés différents suffisent pour rencontrer les besoins de l'organisme dont le squelette, les tissus, les hormones, les liquides biologiques, les enzymes...Vous avez bien lu, 21 variables différentes.

Ces substances viennent bon deuxième quant au volume et au poids chez les personnes pas trop obèses. Une carence (une présence insuffisante) de l'une quelconque de ces substances et des malaises physiques pour ne pas dire physiologiques se manifestent.

Toute carence affaiblit et, à la limite, provoque la dégénérescence de l'organe, du tissu, de la cellule sinon elle rend inopérant ou aberrant l'hormone, l'enzyme, le neurotransmetteur... ce qui empêche l'organisme de se défendre, de se réparer ou de maintenir une vitalité suffisante pour répondre aux sollicitations.

La maladie, seuil au-delà duquel on reconnaît la détérioration d'un organisme, s'annonce par un malaise, un inconfort, un symptôme: un certain niveau de détérioration s'impose pour qu'on se sente plus à l'aise (!) d'intervenir utilement. D'ailleurs ne vous est-il jamais arrivé de vous faire dire par un médecin consciencieux que vous ne présentiez pas un état relevant de la

[2] Si vous buviez relativement peu d'eau, visez la normale par étapes; votre corps a dû composer avec cette carence !

médecine?

Pour ne plus rien vous cacher, le champ de mes surprises, pour ne pas dire de mon choc, réside dans le domaine constitué par les acides aminés.

Laissez-moi y aller de mon petit laïus et, soulagé, je vais tenter de me retenir jusqu'à la fin:«Comment se fait-il que l'on fasse tant de chichis autour des minéraux, qui ne constituent que la cinquième catégorie en importance de poids et autour des vitamines, sixième selon la même échelle d'importance, alors que les acides aminés s'imposent comme autrement plus importants? Les carences plus susceptibles d'apparaître et les carences les plus dévastatrices parce que plus globales ne proviendraient-elles pas de cet oubli?».

Je vous remercie de votre tolérance; revenons à nos catégories.

Les gras représentent la troisième catégorie de substances en importance, que l'on rencontre chez l'être humain normal (ni rachitique, ni obèse).

Les gras dans le règne animal constituent surtout la forme d'entreposage pour ne pas dire de stockage de l'énergie (entrepôt=produit fini; stock=matière première; magasin=moyens) alors qu'emmagasinage se présente comme un terme plus approprié. Le gras en réserve se transforme en glucose quand le corps a besoin d'énergie de fonctionnement et qu'il a consommé l'apport énergétique provenant de sa diète (de ce qu'il a mangé). Les gras, en plus de l'aspect énergétique (carburant), se trouvent aussi à faire partie de l'isolation qui contribue à stabiliser la température interne du corps et également à recouvrir chaque cellule d'une mince couche pour en maintenir la souplesse de la paroi.

L'énergie potentielle, contenue dans les gras inutilisés durant une période se situant entre deux repas, se stocke dans les «magasins» à gras selon les théories à la mode, tandis que les gras de la diète seraient presque directement stockés sous

18

l'effet de l'insuline, quand le taux de glucose dans le sang (glycémie) est au-delà de ce que permet le facteur de tolérance au glucose[3].

Tous les gras ingurgités sont à toute fin pratique interchangeables, sauf que, ceux d'origine animale ont tendance à laisser plus de résidus que ceux d'origine végétale.

Deux acides gras de la classe oméga-3 et -6 font exception à cette règle d'inter-changeabilité. L'acide linoléique et l'acide linolique se disent essentiels, parce qu'ils doivent provenir de la nourriture puisque insynthétisables par l'organisme humain. Ils ne correspondent donc pas à cette règle d'interchangeabilité bien qu'ils puissent contribuer à la caractéristique plus générale de l'apport en énergie. Ces deux acides gras ont des fonctions particulières, l'un dans la vision, la coagulation du sang, l'arthrite... l'autre dans l'économie des gras, dont du cholestérol.

Au chapitre des gras, nous rencontrons donc trois nouvelles variables indépendantes.

Les hydrates de carbone se présentent comme la quatrième catégorie de substances en importance dans notre organisme.

Les hydrates de carbone constituent la source d'énergie la plus directement utilisable. S'il y a surplus, ils peuvent se stocker en gras. Un médecin américain — qui publie sur le sujet et qui ne veut qu'on le cite que moyennant son autorisation expresse, — signale que pour 100 calories provenant de gras, le corps n'a besoin que de trois (3) calories pour stocker les 97 autres en graisse. Pour les hydrates de carbone, 24 calories s'avèrent nécessaires pour stocker les 76 restantes. À quelques exceptions près, l'énergie stockée sous forme de graisse proviendrait surtout des gras ingurgités. Les principales exceptions proviennent des adeptes de cures d'amaigrissement reposant sur des régimes faibles en calories, les personnes ayant été soumises à une période de disette alimentaire et qui ont dû maintenir un certain régime d'activités, les personnes

[3] Je mange donc je maigris - Montignac; Artulem éditeur.

ayant souffert d'une maladie impliquant une perte d'appétit et les personnes issues de familles faibles en prévision (ou victimes d'événements imprévisibles) et qui ont appris à survivre en périodes de disette, périodes désagréables mais normales dans leur régime de vie... Malgré la mode qui prétend le contraire, la prédisposition génétique à l'obésité ne compterait au maximum (pour les cas effectivement prédisposés) que pour 40 % et une proportion encore plus grande serait redevable aux mélanges, dans un même repas, d'aliments à forte incidence glycémique (qui augmentent rapidement le taux de sucre dans le sang) et de gras, foi de Montignac![4]

Une bonne partie des hydrates de carbone que nous ingurgitons ne sont pas suffisamment digestes, comme dirait ma mère, donc ne peuvent contribuer en apport énergétique. Il s'agit des fibres qui ne nourrissent pas l'homme, mais dont une partie nourrissent cependant les bactéries de l'intestin. Elles en élaborent des substances qui, elles, nourrissent son homme dont, entre autres, la biotine ou vitamine B-8. Le reste des fibres, bien que non nourrissantes, demeurent indispensables pour éliminer le cholestérol contenu dans la bile (qui serait, sans cela, recyclé à nouveau en gras), et pour éviter les manifestations de carence autrement inévitables et reliées à des déficiences d'élimination: constipation, certains maux de ventre, mauvaise haleine, mauvaise humeur...

Ici, nous sommes en présence de deux variables indépendantes: les sucres et les fibres.

Pour se remettre en perspective, on peut admettre que bien se nourrir comporte une alimentation satisfaisante en six catégories de matières alimentaires.

La première, l'eau; le fait de ne pas en consommer suffisamment entraîne des manifestations de carence. Toute carence induit une dysfonction dans l'organisme. Toute dysfonction entraîne un affaiblissement en conséquence. Un affaiblissement s'avérera grave ou non selon la situation de l'orga-

[4] Ibid

nisme s'il a à rencontrer ses obligations habituelles ou s'il doit, en plus, faire face à d'autres dysfonctions et à des sollicitations supplémentaires pour neutraliser les agents agressants. Les agents agressants peuvent comprendre des toxines, des agents infectieux, des sollicitations physiques ou mentales plus fortes que d'habitude (que pour la diète habituelle) ou tout cela en même temps!

Les acides aminés comportent 21 variables ce qui en fait 22 avec l'eau.

Les gras en comportent trois et les hydrates de carbone deux.

Jusqu'ici, si nous voulons faire sérieux et acceptons de mettre de côté la morale, bien se nourrir comporte un bon dosage de 27 variables.

L'eau en surplus ça s'élimine; les acides aminés, nous verrons plus tard. Il n'en va pas de même pour les gras et les hydrates de carbone. Les surplus de gras et de sucre s'entreposent, ce qui veut dire qu'en voulant éviter des carences on peut se buter à des problèmes de surplus.

Viennent ensuite les minéraux qui constituent, en importance, l'avant-dernière catégorie des substances que l'on rencontre dans l'alimentation. J'ai toujours eu de la misère avec cette catégorie et je crois que je vais en avoir encore pour un bon bout de temps!

En fait de besoins de notre corps, il ne s'agit pas de minéraux mais plutôt d'éléments de la table de Mendeleïev, pour ceux qui ont fait de la chimie, ou de corps simples d'où toutes les substances complexes proviennent. En appelant ces éléments, des minéraux, on se trouve, sans que ça paraisse trop, à développer un genre de langage pour initiés qui sert, habituellement, à faire bonne impression et à permettre de s'échanger de l'information utile sans que les autres comprennent, aussi utile que pourrait être cette information!

Ceci constitue un deuxième laïus, s'cusez!

En fait, la plupart des éléments dont il s'agit ici, ne pourraient s'assimiler ou seraient trop toxiques pour notre organisme parce que chimiquement très actifs. Dans la nature (ce qui veut dire dans le reste de l'univers où existent des zones ayant des caractéristiques de température et de concentration d'éléments analogues aux nôtres), ces éléments s'associent entre eux, les uns ayant une activité contraire à d'autres, jusqu'à ce que leur activité d'association ou activité chimique se tempère. En nutrition, un minéral constitue une forme de présentation d'un élément chimique assagi.

L'élément, dont le corps a besoin, peut se rencontrer dans la nature sous forme de minéral assimilable, sous forme pure ou sous forme de minéral non assimilable.

Assimilable veut dire, qui peut passer à travers la paroi qui sépare l'organisme de l'environnement. Se souvenir que la vision d'un homme peut se ramener à celle d'un beigne où l'entrée du trou représente la bouche et l'autre extrémité du même trou, l'anus.

Les éléments à l'état pur sont chimiquement actifs et toxiques lors de leur assimilation, bien que cette même virulence chimique devienne source de liaisons essentielles au cours des processus biochimiques ultérieurs.

Pour éliminer la toxicité d'un élément ou pour rendre assimilable un élément ou un minéral autrement inassimilable, on peut soit traiter la substance chimiquement pour la transformer en minéral assimilable, soit lui adjoindre une molécule organique pour avoir le même résultat. Une molécule organique doit contenir au moins un atome de l'élément carbone. La présence de carbone dans une molécule révèle la signature des matières vivantes puisque le carbone constitue l'élément autour duquel la chimie de la vie s'est organisée.

Le procédé par lequel on adjoint une molécule organique à une substance pour la rendre assimilable s'appèle chélation. On s'entend, du sélénium chelaté serait l'élément sélénium auquel on a adjoint une molécule organique pour le rendre assimilable.

Le corps a besoin d'au moins 23 éléments, en ne tenant pas compte de l'oxygène, de l'hydrogène et de l'azote de l'air ainsi que du carbone omniprésent :

1- Bore	6- Cuivre
2- Calcium	7- Étain
3- Chlore	8- Fluor
4- Chrome	9- Germanium
5- Cobalt	10- Iode
11- Fer	18- Sélénium
12- Magnésium	19- Sodium
13- Manganèse	20- Soufre
14- Molybdène	21- Strontium
15- Nickel	22- Vanadium
16- Phosphore	23- Zinc.
17- Potassium	

Tous ces éléments sont essentiels, aucun ne peut être synthétisé par le corps. Ils doivent donc tous provenir de l'environnement via la nourriture ordinaire, des suppléments alimentaires, des enrichissements alimentaires, des formules pharmaceutiques, des potions magiques ou autrement.

Chacun de ces éléments se révèle important pour une ou plusieurs fonctions physiologiques, ce qui implique que toute faiblesse d'approvisionnement induit une carence.

Certains nécessitent des doses respectables, de l'ordre du gramme par jour (le calcium, par exemple), tandis que d'autres ne se manifestent qu'à l'état de trace (moins que le microgramme).

Pour illustrer notre ordre de grandeur, chaque globule rouge du sang a besoin d'un atome de fer et l'on se souvient que si tous les atomes d'un cube de fer de 2.5 cm de côté étaient agrandis à la grosseur d'une tête d'épingle, nous pourrions emplir un fossé d'un mètre de profond, d'un kilomètre de large et s'étendant de Montréal à Vancouver, et il nous resterait encore beaucoup de matériel.

Les minéraux constituent, avec l'eau et les acides aminés, les éléments essentiels à la structure-même du corps, tandis que les hydrates de carbone et les gras (à l'exception de deux acides gras) constituent l'essentiel de l'énergie.

Les minéraux ont des caractéristiques intéressantes:

> 1-Une teneur trop faible induit des manifestations de carence.
>
> 2-Les surplus se fixent ou se stockent.
>
> 3-Les concentrations se révèlent toxiques
>
> 4-Certains, si en surplus, piratent d'autres même déjà en carence.
>
> 5-Tous se révèlent essentiels (non synthétisables par le corps).

Nous avons dit 23 éléments, cependant compte tenu du fait que le cobalt nous parvient via la vitamine B-12 et que le soufre, par la méthionine, la cystéine ou la cystine, trois acides aminés, nous allons simplifier (!) la situation en ramenant les minéraux à 21 variables.

Nous ne sommes plus à 27 variables indépendantes, mais à 48.

Les vitamines constituent la catégorie la moins importante en poids dans l'organisme. Elles agissent toutes dans l'ordre du milligramme par jour ou moins.

On divise habituellement les vitamines en deux catégories, les hydrosolubles et les liposolubles. Les liposolubles se dissolvent dans les gras et s'emmagasinent, se stockent dans l'organisme: les vitamines A, D, E, et K (ad hoc); on oublie la F, puisqu'il s'agit des acides gras essentiels énumérés lors du passage sur les gras.

Exception faite de la vitamine E, les vitamines liposolubles se révèlent toxiques en surdosage ou en concentration trop élevée : en excédent d'inventaire.

Les vitamines hydrosolubles se dissolvent dans l'eau. Elles doivent être renouvelées régulièrement puisqu'à l'exception de la B-3, de la B-6, de la choline, de l'inositol et du PABA, elles ne s'emmagasinent pas. Leur toxicité ne comporte aucune préoccupation à moins de se stocker:

1- B-1	8- B-12
2- B-2	9- B-15
3- B-3 ou PP	10- Choline
4- B-5	11- Inositol
5- B-6	12- PABA
6- B-8 ou H	13- C
7- B-9	14- P

La plupart des vitamines s'avèrent essentielles. La vitamine A peut cependant, à partir de provitamines (les caroténoïdes), se synthétiser dans l'organisme. Ces provitamines qui doivent provenir de l'extérieur, donc essentielles, ne comportent pas la même toxicité que leur pendant vitaminique puisqu'elles ne se transforment qu'en cas de besoin.

La vitamine D peut provenir de la peau (l'épiderme) sous l'action des rayons du soleil.

La B-3 peut se synthétiser à partir du tryptophane, elle constitue la forme d'entreposage de cet acide aminé.

La B-6 peut dériver de l'hormone de croissance laquelle, à son tour, provient du tryptophane et de l'arginine, deux acides aminés.

Une bonne partie (environ 35%) de la B-8 provient de la flore bactérienne des intestins.

La choline peut se synthétiser à partir de la méthionine, un autre acide aminé.

Les vitamines, dans l'organisme, président aux réactions chimiques qui changent de qualificatif pour devenir biochimiques : la virulence chimique des éléments (contenus dans les minéraux) se subdivise pour atteindre des intensités acceptables à des processus propres à la vie plutôt qu'à ceux que l'on retrouve dans des laboratoires dont celui qu'on surnomme la nature.

Le corps a démontré pouvoir croître et se réparer; c'est une caractéristique des êtres vivants.

On peut comparer le corps à une automobile. L'automobile, sans carrosserie, réservoir, batterie, châssis, moteur, roues, suspension, volant... n'existerait tout simplement pas; ces éléments constituent les équivalents des constituants du corps : eau, acides aminés et minéraux (on oublie les deux acides gras essentiels pour faire plus frappant!).

L'automobile sans essence n'a aucune utilité sauf celui de servir d'abri contre le «fret». L'essence et l'électricité constituent les sources d'énergie de l'automobile; les gras, les hydrates de carbone (sucres, féculents, amidons) et une portion variable d'acides aminés sont le pendant pour notre organisme.

Les additifs dans l'essence, l'huile du moteur et des servofreins, la graisse des roues et autres substances analogues constituent les vitamines du véhicule: elles ne remplissent la fonction ni de l'énergie ni des éléments structuraux et pourtant sans elles rien ne va... Le liquide de refroidissement, les fibres. Le réfrigérant, une vitamine peut-être?

Devant une présence insuffisante d'une vitamine quelconque, des manifestations de carence apparaîtront et à quelques exceptions près, les surplus n'occasionnent aucune toxicité. Certaines s'avèrent essentielles et d'autres pas au sens strict du terme, puisque le corps ou des invités (bactéries intestinales) peuvent en synthétiser à partir de substances qui, par ailleurs, doivent être disponibles. Toutes essentielles, par ailleurs, puisque sans elles rien ne va ou si peu...

Et nous y voilà, bien se nourrir veut dire consommer un dosage d'aliments qui nous permette de satisfaire, tout en évitant certains excès, des besoins en (48+4+14=) 66 variables. ALLO! ALLO? Vous m'entendez ou il y a trop de bruits sur la ligne?

Amenez-en du monde avec leurs théories, diètes, etc. Ce que l'un dit peut s'infirmer par l'autre. En fin de compte, avec les exigences de démarches scientifiques pour étudier rien qu'une variable, il y a une infinité de possibilités. Chacune exige des expérimentations à l'aveugle, avec groupe contrôle et groupe cible dont la représentativité nécessite un nombre suffisamment grand...

De toute façon, personne n'a les moyens de s'embarquer dans de telles recherches puisqu'on ne peut pas protéger les fruits des investissements (les découvertes) par des brevets: il s'agit de substances naturelles. Là où il y a de l'argent à faire, n'est pas tant dans la fabrication que dans l'expertise, et des experts, il y en a plusieurs qui se manifestent à couteaux non seulement tirés, mais qui s'en servent pour protéger leur marché. On peut cependant fabriquer des analogues aux substances naturelles qui, eux, peuvent décrocher des brevets. Ils sont normalement conçus pour utilisation pour les cas urgents et les cas où les carences ont enclenché des processus d'adaptation morbides. Ça marche cependant tout croche lorsque l'on a recours à telles substances pour «guérir» des carences somme toute réversibles dans des temps raisonnables. De plus, un tel recours risque d'induire de l'autonomie chez le client dans l'administration de sa santé, ce qui peut s'avérer moins bien au point de vue des « intérêts » professionnels(!?!).

Qui n'a pas entendu parler du jeu d'échecs?

Le jeu d'échecs, avec ses combinaisons possibles, se présente comme tellement plus simple: deux tours, deux fous, deux cavaliers, un roi, une reine et huit pions font 16 pièces par joueur. Une partie nécessite deux camps: ce qui n'en fait qu'une problématique à 32 variables mais dont seulement ([1 tour, 1 fou, 1 cavalier, 1 roi, 1 reine, 1 pion] x 2=) 12 se révèlent indépendantes!

Aux échecs, on a un certain nombre de bonnes décisions connues selon certaines configurations et, pour simplifier, on a coutume de dire que celui qui a gagné deviendra celui qui a raison jusqu'à la prochaine partie.

Mangez bien et bon appétit !

CHAPITRE 2

Mode d'utilisation des spécialistes.

Manger peut avoir deux sens. Le premier, «manger» ou s'occuper à neutraliser la faim avec de la nourriture; et le second, «se nourrir» ou s'occuper à fournir au corps les aliments parmi lesquels il trouvera les diverses substances dont il a besoin pour répondre aux exigences de sa propre programmation : croissance, entretien, et réponse, dans la mesure de ses moyens, aux sollicitations émergeant de son réseau de neurones qui a, graduellement, pris de plus en plus de place dans la définition et la gestion des priorités...

Le mot manger, en fait, n'a pas deux sens, il n'en a toujours qu'un. Mais en intégrant dans l'acte d'enfourner des aliments, la dimension de l'investissement en signification de celui qui mange, on débouche sur un univers à une dimension, délimité par deux pôles, comme tout univers du genre. L'un représente l'absence totale d'investissement et l'autre pôle, la limite de ce qu'il peut y mettre. Au-delà de cette limite, se situe l'investissement qui serait requis pour pouvoir gérer d'une façon contrôlée cette réalité (trop) complexe.

Chaque point sur l'axe, délimité par les deux pôles, représente donc le degré de conscience possible d'une personne sur ce qu'il en retourne quand il considère ou s'adonne à l'activité de l'alimentation, activité portant à conséquences mais, somme toute, banale.

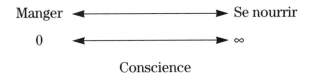

Conscience

On peut également situer les divers intervenants, consommateurs ou professionnels sur un axe semblable dans l'univers de la nutrition, particulièrement en suite du constat de complexité, conclusion du chapitre précédent.

Le but de cette approche : réussir à attirer votre attention sur le pôle de droite, l'infini ou l'infinité de combinaisons possibles que notre compréhension, pour le moment, n'a pas les moyens de transcender pour parvenir à l'objectif simple du départ, à savoir, bien manger.

Des concepts nouveaux, plus scientifiquement rigoureux me semblent nécessaires pour amener ce tout à portée de tous, y compris des plus concernés, le commun des mortels, dont je fais partie. Pas vous?

Si on considère les six catégories de nutriments que nous venons de voir rapidement, on peut s'apercevoir que ces six catégories peuvent se simplifier en les ramenant à trois si l'on s'en tient aux fonctions organiques.

Les gras et les hydrates de carbone se présentent principalement comme des apports énergétiques.

L'eau, les acides aminés et les minéraux ont surtout un apport structurel.

Les vitamines auraient un rôle de facilitation, d'accessoire transitoire ou de catalyseur.

De fait, pour la fonction générale, ça va. Mais on se souvient qu'aux limites il y a un besoin de nuances : la B-12, une vitamine, joue aussi le rôle d'apport en cobalt, un minéral; les fibres, des hydrates de carbone, ont une fonction attribuée aux vitamines ; et les acides gras essentiels auraient une fonction de type vitaminique (vitamine-F) quant au cholestérol et une fonction structurale comme couche protectrice des parois cellulaires, tout en conservant la fonction énergétique.

Il ne faut pas se laisser surprendre par le fait qu'aux limites, les catégories adoptées deviennent moins précises, d'autant plus que nous délimitons nos catégories à partir d'un ordre de grandeur qui correspond à notre vécu alors que nous nous penchons sur une réalité à la dimension de la cellule.

Ainsi, si on adoptait la terminologie habituellement utilisée, on pourrait dire que l'on mange pour se nourrir, se sustenter et s'alimenter. Se nourrir correspondrait ici à l'opération de se procurer les substances structurelles dont nous avons besoin, se sustenter, à s'approvisionner en énergie, et s'alimenter, à se procurer les vitamines, à s'équiper pour pouvoir disposer de l'énergie dans l'appareil... J'ignore si vous me voyez venir avec mes gros sabots, mais une telle organisation de l'information peut grandement aider à gérer d'une façon rationnelle cette entreprise dans laquelle on s'est fait embarquer et qui s'appelle la vie.

Pour revenir aux prémisses que nous avons adoptées pour donner un sens à notre démarche, on peut dire que manger de façon telle que nous n'ayons jamais aucun malaise ou de maladie, même sans conditions imprévues ou exceptionnelles, relève de l'utopie. Cette éventualité ne s'affiche toutefois pas comme absolument impossible, avec les développements en connaissances que nous vivons, cela devient de plus en plus possible.

À ce sujet, la plupart des malaises que nous ressentons constituent des signes physiologiques d'une ou de plusieurs carences. L'apparition de malaises s'avère, à toute fin pratique, normale puisqu'inévitable en vertu de la complexité en cause: 66 variables, indépendantes pour la plupart. À remarquer que le qualificatif indépendant utilisé pour qualifier un nutriment, se trouve à exprimer que le corps ne peut lui substituer une autre substance. Une option qu'il possède toutefois, en cas de carence, consiste à compenser la fonction organique déficiente par une autre, laquelle peut devenir déficiente à son tour mais d'un autre nutriment; d'où la complexité de rééquilibrer des processus pouvant devenir morbides à la suite des diverses tentatives de l'organisme pour trouver un équilibre viable. Ces états trop détériorés constitueraient les cas nécessitant l'intervention choc de la pharmacopée moderne. Passons.

Nous pouvons considérer comme du domaine du possible que, dans un avenir rapproché, des connaissances et une instrumentation appropriées nous permettront d'élaborer des bilans physiologiques précis et opérationnels, en termes de nutriments. Telle perspective ne fait pourtant pas partie de la situation qui prévaut, quoi que prétendent certains, et nous sommes, aujourd'hui, l'objet de la question. Même dans l'hypothèse où le développement technologique serait devenu satisfaisant, il restera encore à contrôler la qualité en nutriments des aliments que nous consommons. Ça risque d'être long...

Enfin bref, nous mangeons tous bien en fonction de nos connaissances et de nos habitudes. Les uns ayant cependant une formule plus heureuse que d'autres, ils possèdent donc une meilleure probabilité (et non la certitude) d'une bonne alimentation grâce à une meilleure utilisation des ressources alimentaires.

Traditionnellement, les modes de nutrition s'avéraient plus stables, je présume, et les malaises et maladies en conséquence plus localisés et familiers. À l'art de vivre, ainsi transmis, devaient s'ajouter les remèdes inévitables qui s'imposaient...

De nos jours, les modes de nutrition se révèlent en pleine mutation; à Montréal, par exemple, les ethnies se passent des plats, des recettes... et des remèdes. Les sources d'approvisionnement sont multiples, les aliments diversifiés. La publicité s'en est évidemment mêlée et, avec l'impact des média de masse que l'on n'a pas encore appris à maîtriser, les goûts en alimentation peuvent correspondre à des choses bien curieuses avant de correspondre aux besoins physiologiques. Dans tel contexte, les malaises deviennent légion et essayez de mettre le doigt sur LA VARIABLE!... ou deux. Qui n'a pas son petit bobo ou deux? Nous devons bien nous en accommoder faute de temps ou de connaissances pour y pourvoir, à moins d'accorder ce temps et le pouvoir à ceux qui ne demandent que ça, rendre service et alimenter cette industrie d'État, chez-nous, que constitue la Santé.

Je ne me prétends pas ni ne me présente comme un spécialiste, loin de là. Mais, selon ma perception, le dossier sur l'équilibre entre les grandes catégories d'aliments serait traité d'une façon satisfaisante dans le Guide Alimentaire Canadien. Sur la foi de spécialistes, parce que je ne l'ai pas lu.

Le traitement des malaises et des maladies selon les manifestations de carences constitue un dossier moins clair et certains auteurs s'y mettraient.

Pour faire simple, pour dire comme les Saguenayens, l'eau, on en parle peu, bien qu'il constitue le minéral le plus abondant, donc le plus important à questionner avant tous les autres. Mais, comme tout truisme, les convenances mandent d'éviter d'en parler et le fait que ça ne fasse «pas sérieux» pousse à l'escamoter, à glisser dessus...

L'importance des acides aminés comme tels dans la nutrition semble inconnue. On en parle au chapitre sur les protéines et encore là, comme nous le verrons plus loin, une démarche de simplification a probablement eu pour effet réel de rendre cette réalité trop inaccessible pour pouvoir l'utiliser d'une façon intéressante. Les acides aminés, pourtant, constituent la deuxième source en importance, au point de vue poids, et la première, sinon bonne deuxième après les minéraux, en importance, pour la complexité et les manifestations de carence.

Les minéraux mériteraient un autre traité (semblable à celui-ci, mais évidemment meilleur !)

Pour les vitamines, quantité d'ouvrages me semblent exister. Elles constituent la catégorie de nutriments qui me semble la mieux couverte et pourtant apparaît comme la moins importante au point de vue quantité; cette source particulière d'intérêt proviendrait-elle justement de son étrange rareté?

Bien que notre sujet soit les acides aminés, en faisant nos analyses, des données intéressantes sont ressorties sur les minéraux et sur les vitamines. Ainsi, en fin de volume, vous trouverez pour les minéraux communs[1] et les principales vitamines[2], les sources, par ordre d'importance, où vous pourrez

[1] Annexe 2.3 p. 195
[2] Annexe 2.4 p. 205

les trouver. Vous obtenez ainsi un bon coup de main si votre recherche ne révèle pas une carence en acide aminé.

Pour ceux qui veulent régler leurs bobos ou même leur maladie, la démarche suggérée consiste à procéder par déductions pour cerner le ou les nutriments susceptibles de se manifester ainsi en carence.

Les catégories de nutriments susceptibles d'être en cause se questionnent par ordre d'importance relative, les plus importants en premier (eau, acides aminés, minéraux, vitamines) plutôt qu'un peu au hasard, par médication ou par la facilité d'accès à de l'information.

Médication, ici, devient toute formule ou substance utilisée pour se soulager ou pour se guérir, et dont le principe actif (théorique ou avéré) se révèle ne pas résider tout simplement en un ou plusieurs nutriments.

Si vous utilisez déjà une médication qui donne de bons résultats, vous identifiez la fonction biologique (le rôle dans l'organisme) que ce remède semble compenser parce que votre organisme ne synthétise pas ce qu'il devrait normalement fabriquer. Vous déduisez ensuite les éléments (nutriments) que ça lui prendrait pour qu'il puisse le produire. Vous retrouverez, au chapitre quatre des modes d'action pour chaque acide aminé.

Une fois la démarche théorique complétée, vous prenez le ou les nutriments soupçonnés sous forme supplétive (suppléments sous forme de gélules, poudre, etc.) en respectant les doses et les contre-indications. Surveillez particulièrement les minéraux dont le surdosage m'apparaît le plus dangereux. À l'exception de la vitamine E, les vitamines liposolubles demandent une surveillance particulière. Certains acides aminés, comme vous le verrez, comportent, à mon avis, des restrictions; trois comportent des risques de surdosage en quantités exploratoires: la glycine, l'histidine et la glutamine.

L'évidence s'impose et graduellement vous allez reconnaître de plus en plus rapidement vos symptômes de carences puisqu'il s'agit de vous et de vos habitudes. Si vous n'avez pas d'habitudes alimentaires ça risque de prendre plus de temps, puisque vous devrez découvrir qu'ultimement vous en avez.

Dans les cas de maladies, si le diagnostic de votre médecin s'avère juste, et je ne vois pas pourquoi il ne le serait pas puisque:

- Vous êtes prudent et vous lui faites confiance;

- C'est l'expert désigné et reconnu en la matière.

À partir du diagnostic, donc, vous vous faites expliquer les insuffisances physiologiques qui peuvent amener cet état.

Tout état, tout organe, toute cellule a besoin de matériaux et d'énergie. L'énergie apparaît rarement en cause et quand il s'agit d'elle, questionnez plutôt la fonction qui doit la rendre disponible ou l'éliminer. Seul un de ces deux aspects peut constituer une manifestation de carence en énergie. Gardez à l'esprit que si tous les matériaux nécessaires s'avèrent disponibles (eau, acides aminés, minéraux) vous cherchez ensuite du côté des vitamines.

Le médecin constitue le «diagnosticien» par excellence. Quant aux cures, là, il a affaire à forte compétition. Imaginez, avec 66 variables, tout le monde peut avoir raison. Même des disciplines à l'intérieur du corps médical se révèlent en compétition pour le meilleur traitement!

Avec son approbation, il vous regardera aller avec un petit sourire, vous vous «supplémentez» en parallèle selon la démarche préconisée. À ce sujet, bien vouloir consulter la section intitulée supplémentation de la DL-phénylalanine [3] qui contient le déroulement d'une problématique complexe. Vous tenez tous les deux compte que certains médicaments vont à l'encontre de certains nutriments; ils constituent alors des antagonistes.

[3] p. 145 et suivantes

Quand vous aurez trouvé le ou les nutriments recherchés, les besoins en médication vont ralentir sinon cesser. Il relève du rôle de votre médecin d'ajuster le dosage de ses prescriptions... et qu'il commence à s'intéresser à votre approche! Considérez comme normal qu'il se sente mal à l'aise : il facture pour l'aide que vous lui apportez et se fait payer pour celle qu'il vous prodigue.

Comme vous avez cerné le ou les nutriments déficients, vous ajoutez à votre diète des aliments qui le ou les contiennent d'une façon significative et assimilable. Vous éliminez par la suite graduellement votre supplémentation alimentaire.

Si, par la suite, vous vous ennuyez de votre malaise, vous diminuez votre consommation de l'aliment ajouté. Quand le malaise reparaît, vous avez la satisfaction de vivre la joie de celui qui se voit confirmé dans ses hypothèses, le couronnement d'une démarche scientifique!

Même si vous maintenez votre nouvelle diète, considérez comme presque inévitable qu'un nouveau malaise surgisse éventuellement. Cet événement deviendra de plus en plus simple, toutefois, puisque vous aurez une variable en moins à contrôler et la confiance que vous saurez faire le tour de ce nouveau problème ou isoler l'inconnue.

Si vous avez gardé votre diète modifiée, si vous n'avez pas beaucoup changé vos façons de faire et que la même carence se manifeste, il serait opportun de questionner la qualité des aliments à partir desquels vous vous approvisionnez de ce nutriment, particulièrement s'il s'agit de vitamines ou de minéraux. À ma connaissance, la recette en acides aminés des protéines demeure stable.

À la suite du chapitre sur les acides aminés, vous avez un texte consacré à chaque acide aminé ou aminoacide. Les caractéristiques ainsi définies vont accélérer votre démarche vers le confort. Pour les cas précis tels douleurs chroniques (DL-phénylalanine[4]); protection contre les effets secondaires de traitements chimiothérapeutiques (acide glutamique[5]); endométrioses (méthionine[6]), arthrite rhumatoïde (cystéine[7]) il

[4] Chapitre 4 p. 142
[5] Chapitre 4 p. 69
[6] Chapitre 4 p. 132
[7] Chapitre 4 p. 91

n'y a pas tellement de recherches à faire, les textes sont clairs sur la substance la plus probable en carence. Pour d'autres manifestations vous allez trouver ça moins clair: «forcez» votre médecin à lire le texte qui a retenu votre attention; vous serez surpris vous-même de constater que, lorsqu'il accepte de s'impliquer, il peut faire merveille avec ces substances simples, non toxiques, intéressantes et qui physiologiquement font du sens!

Soyez attentif dans votre approche avec votre médecin. Plusieurs prennent de haut que vous puissiez leur fournir de l'information valable sur des cures de malaises ou de maladies pour lesquelles ils ont adopté une attitude (stratégie) de marketing voulant laisser croire qu'ils savent tout sur le sujet! Ceux qui ont adopté une telle stratégie se révèlent particulièrement coriaces parce que, justement, votre préférence en ce médecin résiderait dans ce comportement et, pour lui, modifier son approche, équivaudrait à perdre un client précieux, puisqu'il s'agit de vous.

Souvenez-vous, un médecin ne peut pas tout savoir et il n'a habituellement accès qu'à un groupe de traitements. Bien que diagnosticien par excellence, il traite pour guérir et ce, généralement, en conformité avec les raisons pour lesquelles vous aviez l'habitude de le consulter. Vous, vous faites dorénavant appel à ses services pour être bien et le demeurer.

Le médecin travaillerait pour éliminer les symptômes pour lesquels vous le consultez et il n'a presque pas l'embarras du choix puisque vous seul avez accès directement à l'information qui peut vous permettre de demeurer en santé. Vous avez sûrement bien d'autres chats à fouetter que celui de vous concentrer sur votre alimentation! S'il en était autrement, on vous traiterait de maniaque ou d'hypochondriaque. Alors...

CHAPITRE 3

Les acides aminés

Les acides aminés constituent des unités chimiques caractéristiques qui se lient entre elles pour former une chaîne. Une chaîne d'acides aminés s'appelle une peptide.

Une protéine constitue une peptide si elle est formée d'une seule chaîne d'acides aminés et une polypeptide si elle en comprend plusieurs. Le lien peptidique relie chimiquement un acide aminé à un autre.

Les sources d'acides aminés se trouvent forcément dans les protéines que l'on retrouve dans l'alimentation.

Chaque aliment a sa protéine particulière, ce qui implique que chaque aliment a une séquence invariable mais différente d'acides aminés. La quantité d'un acide aminé varie donc d'un aliment à l'autre.

La nourriture que nous consommons se défait en unités plus élémentaires pour pouvoir traverser la paroi continue tapissant le long couloir qui commence à la bouche pour se terminer à l'anus. Ce qui n'a pas pu traverser la paroi s'éjecte en fin de parcours.

Les protéines se catabolisent (sont défaites) en peptides puis en acides aminés pour être assimilées, pour passer la paroi. Le catabolisme des acides aminés s'effectue grâce surtout à l'action d'enzymes (substances préalablement synthétisées à partir d'acides aminés). Rendus dans le flux sanguin, les acides aminés se transforment, au niveau cellulaire, pour reconstituer les protéines des tissus, hormones, enzymes, vitamines...; pour chelater les métaux lourds en suspension dans le sang (les glucoformateurs) ou pour se transformer, à nouveau, en énergie (glucose) si l'organisme se trouve en état de manque (hypoglycémie). Le processus de reconstitution des acides aminés en peptides et polypeptides porte le nom d'anabolisme.

On peut regrouper les acides aminés en deux grandes catégories; les acides aminés non essentiels et les acides aminés essentiels.

Les acides aminés non essentiels comprennent les acides aminés ou aminoacides qui peuvent se synthétiser à partir surtout d'autres acides aminés disponibles. Jusqu'à un certain point, les acides aminés non essentiels peuvent se dire interchangeables; ils ne possèdent cependant pas cette caractéristique à un degré aussi élevé que ne le possèdent les gras ou les sucres, lesquels, quelles que soient leurs caractéristiques, peuvent s'utiliser pour l'énergie et peuvent s'utiliser à la place de l'autre. L'acide aminé à partir duquel un autre acide aminé peut être synthétisé se dénomme précurseur. Ainsi la tyrosine, un acide aminé non essentiel, peut être extraite de la nourriture consommée ou bien être synthétisée de la phénylalanine, un autre acide aminé. Dans ce cas, la phénylalanine se trouve à être le précurseur de la tyrosine.

Pour dire que la tyrosine peut se synthétiser de la phénylalanine, on la qualifie dépendante ou intermédiaire de la phénylalanine. Un autre exemple provient de la cystéine dépendante de la méthionine. L'interchangeabilité de ces acides aminés non essentiels ne s'avère pas très forte puisqu'il n'y a pas de lien de dépendance entre la tyrosine et la cystéine.

Il n'y a pas tellement de choses particulières à dire sur l'assimilation des acides aminés non essentiels sinon qu'aux sites, aux endroits de passage prévus dans la membrane, il peut y avoir compétition entre des acides aminés différents et que le perdant continue forcément sa route pour pouvoir éventuellement revêtir une forme servant de carburant.

Les 16 acides aminés non essentiels (selon la nomenclature retenue) s'énumèrent selon l'ordre alphabétique :

1-	Acide aspartique	9-	Glutamine
2-	Acide glutamique	10-	Glycine
3-	Alanine	11-	Histidine
4-	Arginine	12-	Ornithine
5-	Asparagine	13-	Proline
6-	Carnitine	14-	Sérine
7-	Cystéine	15-	Taurine
8-	Cystine	16-	Tyrosine

Il en retourne autrement pour les acides aminés essentiels. Essentiel, ici, signifie que cet aminoacide ne peut que provenir de la nourriture, le corps ne peut le synthétiser à partir d'autres substances.

Voici les huit acides aminés essentiels énumérés par ordre alphabétique :

1- Isoleucine

2- Leucine

3- Lysine

4- Méthionine

5- Phénylalanine

6- Thréonine

7- Tryptophane

8- Valine

Ces huit acides aminés demeurent essentiels pour toute personne en vertu de la définition ; l'histidine, cependant, ne peut se synthétiser chez le poupon avant le sixième mois après sa naissance. Ainsi, selon le sujet, il est question de huit ou de neuf acides aminés essentiels.

Des recherches semblent confirmer que la glutamine deviendrait essentielle chez les traumatisés (accidents graves, interventions chirurgicales importantes, etc.).

À partir de cette seule information, vous venez de récupérer l'investissement que vous avez fait en achetant ce livre; en effet, combien d'accidentés n'ont pas «passé au-travers» et l'on ne sait pas pourquoi? En tous cas le médecin traitant l'ignorait et le diététicien encore plus!

Allez à l'annexe 2 sur les principales sources en nutriments et consultez la liste, page 186 des aliments les plus riches en acide glutamique: aucun de ces aliments ne figurait probablement dans la diète de ceux qui n'ont «pas réussi à s'en sortir». «Trop simple!» s'exclameront plusieurs; mais selon les probabilités pourquoi hésiter et prendre un risque ?[1]

Les acides aminés essentiels ont aussi des caractéristiques étranges quant à leur assimilation. La raison exacte m'échappe et pourtant tous les auteurs consultés à ce sujet s'accordent: pour qu'il y ait assimilation comme acides aminés, tous les acides aminés essentiels doivent se trouver simultanément présents lors de l'assimilation.

À titre d'illustration, si dans une protéine il n'y a que sept des huit acides aminés essentiels (ou 8 sur 9), même si en plus il y a 12 acides aminés non essentiels de présents, seuls les acides aminés non essentiels s'assimileront comme acides aminés; les acides aminés essentiels, eux, se transformeront en énergie. De là, la différence entre une protéine complète et une protéine incomplète. La protéine incomplète, à moins d'être «complémentée» par une autre protéine ayant les ou l'acide aminé essentiel manquant, verrait ses acides aminés essentiels, même en forte demande de la part de l'organisme, transformés en énergie.

Cette première caractéristique reliée à l'assimilation peut expliquer, sans faire appel à l'hérédité, comment il se fait que certaines personnes «transforment tout en graisse» (manière de parler) et ont de moins en moins de structure (la stature) pour supporter ces réserves.

Les acides aminés essentiels ont une autre particularité quant à leur assimilation même si tous les acides aminés essentiels se retrouvent lors de l'assimilation, ils ne deviendront, en fait, assimilés comme tels, qu'en proportion d'un rapport qui doit exister entre eux; le reste se transformant en énergie.

[1] On me fait remarquer qu'une procédure dans les hôpitaux canadiens, prévoit que tout patient admis aux soins intensifs reçoit, via son soluté (liquide injecté directement dans les vaisseaux sanguins), une solution hautement protéique. Selon cette même source, puisque tous les traumatisés passent nécessairement par les soins intensifs, ils ne sont plus susceptibles d'être soumis à une carence grave en acide glutamique!

Ainsi, prenons du foie de boeuf [*2] comme exemple; il comprend entre autres:

Isoleucine:	1,034 g /113 g
Leucine:	2,130 " "
Lysine:	<u>1,570</u> " "
Total:	4,734 " "

Et si le rapport [*3] qui doit exister entre ces acides aminés essentiels se présentait ainsi dans ce cas:

Isoleucine:	12
Leucine:	16
Lysine:	12

On simplifie :

Is(oleucine):	3
Le(ucine):	4
Ly(sine):	3

Nous verrions que pour assimiler les 1,034 grammes d'isoleucine, ça prend (1,034x4/3=) 1,378 g de leucine et 1,034 g de lysine.

L'acide aminé essentiel qui vient à manquer le premier, en cours d'assimilation, selon le rapport des acides aminés essentiels, porte le nom d'**acide aminé critique** de la protéine en cause.

Dans le présent exemple (et dans les faits), l'isoleucine devient l'acide aminé critique du foie de boeuf ou de la protéine du foie de boeuf, ce qui revient au même.

[2] p. 289 - Référence 10 (p. 247)
[3] p. 266 - Référence 10 (p. 247)

Pour compléter, si: Is.: 1,034 g

le.: 1,378

ly.: <u>1,034</u>

3,446 grammes s'assimilent sous forme d'acides aminés essentiels, donc (4,734-3,446=) 1,288 grammes d'acides aminés essentiels deviendront énergie.

En vertu de cette deuxième caractéristique d'assimilation, on peut voir apparaître deux pièges :

-Prendre pour acquis un acide aminé essentiel à cause de sa seule présence dans la nourriture;

-Estimer l'énergie contenue dans la nourriture à 4 calories par gramme de protéines.

À ce sujet, vérifiez sur vos contenants d'aliments indiquant le nombre de calories prévues.

L'assimilation des acides aminés essentiels se déroule selon une troisième caractéristique particulière. En effet, les proportions régissant l'assimilation des acides aminés essentiels varient avec les besoins.

Avant d'identifier la variation de ces besoins, il s'avère utile, ici, de signaler que dans une protéine, pour fin d'assimilation et d'identification de l'acide aminé critique, la phénylalanine ne devient critique que si toute la tyrosine en présence a servi, tout comme la phénylalanine, à l'assimilation. De fait, dans l'assimilation des acides aminés essentiels, la tyrosine, un acide aminé non essentiel, peut suppléer avant que la phénylalanine ne devienne critique. Nous retrouvons le même phénomène avec la cystine et la méthionine; la cystine ne se trouvant pas à faire partie du groupe des acides aminés essentiels.

44

Ainsi pour le foie de boeuf, toujours, nous avons:

Isoleucine: 1,034 g/113 g.
Leucine: 2,130
Lysine: 1,570
Méthionine: 0,572
Phénylalanine: 1,200

Par ailleurs Cystine: 0,347 g /113 g .

Tyrosine: 0,897

Et les rapports définis par les besoins de l'adulte sont[2]:

Is.:12; (isoleucine)

Le:16; (leucine)

Ly:12; (lysine)

Me:10; (méthionine)

Ph:16; (phénylalanine).

Combinons en premier lieu la tyrosine à la phénylalanine et la cystine à la méthionine:

Is.: 1,034
Le: 2,130
Ly: 1,570
Me: (0,572+0,347=)0,919[4]
Ph: (1,2+0,897=)2,097

Évaluons maintenant l'assimilation en acides aminés :

A.A.	Q (gr)	Rapport	Assimilation	Balance	Acide aminé non essentiel	Carburant
Is.	1,034	12	1,034	0,000	0,000	0,000
Le.	2,130	16	1,378	0,752	0,000	0,752
Ly.	1,570	12	1,034	0,536	0,000	0,536
Me.	0,919	10	0,861	0,058	0,347	0,00
Ph.	2,097	16	1,379	0,718	0,897	0,00

[2] p. 289 - Référence 10 (p. 247)
[4] Les 0,572 de méthionine plus les 0,347 de cystine.

- Comme vous pouvez le constater, l'équivalent de 0,861 gr de méthionine a été utilisé dans cette assimilation simulée alors qu'il n'y en avait que 0,572 au départ, la balance ayant été fournie par la cystine ; même scénario pour la phénylalanine et la tyrosine (1,379 et 1,200).

- Il ne faut pas se surprendre si les restes de tyrosine et de cystine s'assimilent en acides aminés non essentiels plutôt qu'en énergie ! Cette particularité ne fait pas grand changement dans les principes de base, mais mérite qu'on la relève ici pour comprendre des résultats à venir.

Bref, les acides aminés essentiels ne s'assimilent comme acides aminés qu'en fonction de la simultanéité de leur présence lors de cette assimilation et, en plus, cette assimilation en acides aminés plutôt qu'en énergie ne se fera qu'en fonction d'un rapport de l'un à l'autre; le rapport qui régit cette assimilation varie en fonction des besoins du consommateur. Enfin, l'acide aminé critique fait cesser ce processus d'assimilation des acides aminés essentiels en acides aminés.

Ces besoins s'établissent comme suit[3] :

	Bébé (4 à 6 mois)	Enfant (10-12 ans)	Adulte
Isoleucine	83	28	12
Leucine	135	42	16
Lysine	99	44	12
Méthionine(Cy.)	49	22	10
Phénylalanine(Ty.)	141	22	16
Thréonine	68	28	8
Tryptophane	21	4	3
Valine	92	25	14
Histidine	30		

Les unités de rapport correspondent, de fait, à la quantité, en milligrammes, dont la personne (ni obèse, ni rachitique (!)) a besoin, par jour et par kilogramme de son propre poids .

[3] - P. 247 - Référence 10 (p. 247)

De cette dernière caractéristique, à savoir que les besoins qui varient avec l'âge font varier l'assimilation, on peut concevoir que la diète appropriée pour un groupe d'âge peut ne plus l'être pour un autre groupe et qu'en plus de pouvoir devenir plus soutenante (énergie) que nourrissante (structure), elle peut induire des carences assez graves.

Tel constat peut aller assez loin. Ainsi, dans le cas où l'enfant mange comme un adulte, il y aura nécessairement une victime; ou l'enfant écopera ou l'adulte.

On verra aussi, si vous ne l'avez pas déjà déduit par vous-même, que l'acide aminé critique peut varier d'une catégorie d'âge à l'autre.

Ainsi, pour clore ce premier volet sur les acides aminés, on s'aperçoit que de connaître leurs particularités d'assimilation devient important. Elles permettent de saisir comment des carences peuvent aisément se développer même si l'on mange apparemment bien et de comprendre la démarche à entreprendre pour éliminer ces carences. Si ç'avait été simple, il n'y aurait pas tant de fatalisme accroché aux maladies.

Les sources en acides aminés non essentiels s'utilisent comme les sources de minéraux ou de vitamines; l'assimilation de la substance s'effectue proportionnellement à la quantité présente. Ça se passe différemment, cependant, quand nous avons affaire à une carence en acide aminé essentiel; consommer beaucoup d'un aliment particulièrement riche en un acide aminé essentiel spécifique n'a guère d'effet équilibrant, puisque l'acide aminé critique en présence peut provoquer la transformation de la majeure partie en énergie sous forme de carburant. Si on n'y prête pas attention, l'acide aminé salutaire recherché sera utilisé par l'organisme en énergie en lieu des hydrates de carbone ou des gras prévus à cet effet. Devenus surplus, ils s'entreposeront en graisse, laquelle, mal contrôlée, entraîne l'embonpoint pour ne pas dire l'obésité. En d'autres termes, un gain pour une perte: le déplacement d'un malaise plutôt qu'un mieux-être sans contrepartie. À noter, en plus, que l'approvisionnement de l'organisme en énergie à partir des protéines plutôt qu'à partir des gras et des hydrates de carbone provoque une sur-utilisation du foie et des reins.

Par ailleurs, un aliment peut être nourrissant pour un bébé mais stimulant pour un enfant. Dans ce cas, le bébé, calme, a un frère ou une soeur «qui a la bougeotte»; en effet, en étant alimenté d'énergie, il manquera à ce dernier les acides aminés à partir desquels il pourrait élaborer les substances (hormones, neurotransmetteurs) qui lui «permettraient» de «contrôler ses nerfs» ou de composer d'une façon plus satisfaisante, pour lui et son entourage, avec sa réalité. De plus, s'il ne répond pas à son envie de dépenser son énergie, il va devenir obèse!

Les combinaisons possibles se multiplient comme les maladies et les troubles de comportement qui surviennent dans notre entourage.

Les nutritionnistes, pour tenter de simplifier le problème de l'approvisionnement en acides aminés essentiels, ont élaboré le concept ou l'idée de la protéine complète puis de la protéine de qualité.

Nous connaissons maintenant la protéine complète qui doit posséder ou contenir simultanément les huit ou neuf acides aminés essentiels[5]. Pour être de qualité, la protéine complète doit, par sa composition, se rapprocher d'un rapport dit rapport idéal; de fait, une répartition théorique des acides aminés essentiels.

Ce rapport idéal unique n'existe pas dans la nature puisque le rapport régissant l'assimilation des acides aminés essentiels varie en fonction des besoins, lesquels varient en fonction de l'âge ; ils (les nutritionnistes) ont donc établi un genre de moyenne pondérée des besoins des différents âges.

[5] 10 pour un bébé traumatisé (p. 38)

À partir de cette définition de protéine idéale, la protéine de l'oeuf de poule serait sortie grande gagnante de l'épreuve avec une assimilation des acides aminés essentiels à 92 %.

De ce constat, les nutritionnistes accordent la valeur relative de 100 à cette protéine de référence (celle de l'oeuf de poule). De là, ils ont établi une pondération des autres protéines complètes, en utilisant cette base qui devient un indice de qualité, exprimé en pourcentage, de la valeur nutritive de la protéine ainsi évaluée. Ouf!

Rendu à ce niveau de complexité, il devient compréhensible qu'on s'y perde; alors que nous nous trouvons dans une situation déjà suffisamment complexe comme ça, je ne vois pas l'utilité de la compliquer plus avant, d'autant plus qu'il s'agit d'une activité banale, tout compte fait!

La nutrition, à l'inverse de la gastronomie, ne devient pas, sinon rarement, un sujet majeur de préoccupation, bien qu'elle puisse avoir une importance critique dans le confort, le bien-être, la joie ou... les malaises, le mal de vivre, la maladie et la mort pour ne pas la nommer.

On se doit de simplifier la question :

Reprenons la recette de la protéine du foie de boeuf qui nous indique pour 100 grammes cette fois, de viande:

Isoleucine(g):	0,915	
Leucine:	1,885	
Lysine:	1,389	
Méthionine:	0,506	
Phénylalanine:	1,062	
Thréonine:	0,915	
Tryptophane:	0,288	
Valine:	<u>1,239</u>	
Sous-total:	8,199	8,199

Si nous ajoutons

| | la cystine: | 0,307 |
| et | la tyrosine : | 0,794 |

comme expliqué,

nous aurons un   sous-total de   1,101;   1,101 et

9,300 grammes

au total. Comme ces quantités se retrouvent dans 100 grammes de viande, nous avons une idée précise de la richesse de cette source en acides aminés essentiels, c'est-à-dire 9,3 %. Pour le bébé, l'histidine à 0,547 augmente cette richesse à 9,847 %.

Le pourcentage construit autour des acides aminés essentiels et incluant la tyrosine et la cystine présentes dans une protéine, nous semble une donnée beaucoup plus sûre et précise que la notion relative de la protéine de qualité qui semble être utilisée actuellement. À vous d'en juger ou plutôt attendons pour tirer nos conclusions.

Nous savons par ailleurs que pour que les acides aminés essentiels s'assimilent comme tels, ils doivent se trouver simultanément présents. Pour le foie de boeuf, c'est le cas; donc des acides aminés essentiels s'assimileront comme acides aminés.

Nous savons aussi que l'assimilation se fait selon un rapport entre les acides aminés essentiels et que l'acide aminé critique fait cesser cette assimilation.

Quand cessera cette assimilation, il ne restera plus d'acide aminé critique à assimiler tandis qu'une certaine proportion de chacun des autres subsistera et sera transformée en énergie. Pour exprimer cette proportion, je suggère que nous adoptions le code suivant:

0=	0 à	5%
1=	5,1 à	15%
2=	15,1 à	25%
3=	25,1 à	35%
4=	35,1 à	45%
5=	45,1 à	55%
6=	55,1 à	65%
7=	65,1 à	75%
8=	75,1 à	85%
9=	85,1 à	95%

Puisqu'une protéine complète comporte huit ou neuf acides aminés essentiels, cette convention permet d'identifier la partie non assimilée en acide aminé de chaque acide aminé essentiel à l'aide de huit ou neuf chiffres.

Enfin, si nous acceptons de toujours indiquer ces résultats en séquence selon le rangement alphabétique des acides aminés concernés, nous aurons, pour le foie de boeuf, le profil ou l'indication suivante:

Foie de Boeuf: 04300321

Nous connaissons, par ailleurs, la séquence des acides aminés essentiels par ordre alphabétique:

1-Isoleucine
2-Leucine
3-Lysine
4-Méthionine
5-Phénylalanine
6-Thréonine
7-Tryptophane
8-Valine

Dans ce profil ou série de nombres, nous savons que le premier chiffre est celui de l'isoleucine. Nous y lisons 0. Nous savons par ailleurs (déjà démontré) que l'isoleucine est l'acide aminé critique de la protéine du foie de boeuf, donc le 0 indique

que l'isoleucine devrait se présenter comme complètement assimilée comme acide aminé. Le résultat concorde.

La leucine constitue le deuxième acide aminé dans la séquence des acides aminés essentiels. Le deuxième chiffre du profil du foie de boeuf appartient donc à la leucine. Un 4 y figure; ce qui veut dire que l'assimilation des acides aminés essentiels a cessé ou cessera lorsqu'il restera encore entre 35,1 et 45% de la leucine initiale lesquels, si rien d'autre n'intervient, ne s'assimileront pas comme tels mais plutôt comme carburant.

De même pour la lysine (3), la méthionine (4) et les autres. Nous nous apercevons cependant que dans ce profil, la méthionine et la phénylalanine ont la cote 0 alors qu'elles ne peuvent pas figurer comme critiques. Nous avons à notre disposition deux hypothèses de solution possibles et chaque solution a presque la même incidence au point de vue nutritionnel : la première consiste en ce qu'il reste, de chacune de ces substances, entre un peu plus de 0 et 5 % sous forme d'acide aminé non assimilé et la seconde, qu'il n'en reste plus et que la cystine pour la méthionine et la tyrosine pour la phénylalanine ont compensé et permis une assimilation plus complète.

Compte tenu de cette apparente ambiguïté qui nous empêche d'identifier à coup sûr l'acide aminé critique, que diriez-vous si l'on ajoutait, entre parenthèses, à la fin du profil, le numéro de rang de l'acide aminé critique?

Ainsi Foie de boeuf: 04300321(1) ça ne vous parle pas, ça?

Personnellement, au début, ça ne me disait rien qui vaille, mais à mesure que j'y repense, si je me préoccupais de nutrition, ça m'illuminerait. Mais nous, notre question se situe dans le comment combler une carence en un acide aminé essentiel, alors que l'on vient justement de voir qu'en bouffant de la nourriture riche en l'acide aminé essentiel que l'on recherche, on risque l'obésité sans nécessairement réussir à combler notre besoin de cette substance?

Pour illustrer, imaginons une personne carencée en leucine et qui sache intuitivement (ou expérimentalement?) qu'il y en a relativement beaucoup dans le foie de boeuf. Sans tenir compte du fait qu'elle risque l'intoxication avec une surdose de vitamine-A (il en est question dans l'appendice), autour de 40 % de la leucine qu'elle pensait se procurer se transformera, en fait, en énergie.

Un exemple que j'aime bien est celui d'un adulte qui donne un verre de lait à un enfant de 10 ans avant le coucher pour favoriser son sommeil:

	Enfant:	Poupon:
Lait de vache 2 %	33103064(4) 25 %	112000012(6) 8 %

Pour le poupon, le profil contient 9 chiffres plutôt que 8 puisque l'histidine devient, dans ce cas, un acide aminé essentiel. L'histidine apparaît en fin de l'énumération malgré la convention de l'ordre alphabétique. Nous avons ajouté, après la parenthèse, la proportion, en pourcentage, de la protéine qui sera transformée en énergie; une information pratique.

Si vous allez plus avant dans ce volume, au texte consacré spécifiquement au tryptophane[6], vous verrez qu'une de ses caractéristiques physiologiques réside dans le fait d'être le précurseur, ou la matière première à partir de laquelle le corps synthétise la sérotonine, un neurotransmetteur. Si vous continuez, vous verrez que l'épiphyse synthétise la mélatonine de la sérotonine. Or la mélatonine constitue l'hormone du sommeil. Bref, en connaissant cette séquence, il tombe sous le sens que la clef «nutritionelle» du sommeil réside dans le tryptophane.

Revenons à notre cas, le tryptophane occupe le 7e rang. Chez le poupon, presque tout le tryptophane présent dans le lait sera assimilé puisqu'il est qualifié d'un 0, mais pas tout, puisque la thréonine (position 6) constitue l'acide aminé critique. Le poupon a donc ce qu'il faut pour favoriser son «endormissement». De plus, nous remarquons que l'effet énergétique du lait ne monte qu'à 8 %, ce qui est particulièrement intéressant quand

[6] P. 166.

on sait que les nutritionnistes avec leur protéine de l'oeuf de poule arrivaient à une protéine idéale à 92 % d'assimilation!

Chez l'enfant, cependant, cette mesure risque plutôt de déboucher sur la problématique d'un enfant «qui ne veut pas dormir» ou «qui a des problèmes de sommeil»; son tryptophane affiche un 6! 60 % du tryptophane qu'on veut lui donner pour favoriser son sommeil sera plutôt un stimulant et de fait, 25 % des acides aminés essentiels qu'on lui a servis deviendront énergie; l'effet inverse de celui recherché. Intéressant non?

La question à laquelle nous cherchons toujours réponse est comment résoudre un problème de carence en un acide aminé essentiel?

Une réponse m'a déçu; elle m'a semblé simpliste même si je l'ai trouvée chez un auteur important qui traitait de la protéine du maïs, la zéine. J'en ai fait calculer les profils:

Adulte:	Enfant:	Poupon:
Maïs (1.31) 36302504(7)42 %;	36005356(3) 43 %;	362204046(7) 36 %

Vous avez remarqué la première parenthèse immédiatement après l'identification de l'aliment et qui indique, en pourcentage, la quantité d'acides aminés essentiels dans l'aliment?

L'auteur disait que cette protéine s'avérait incomplète, donc de mauvaise qualité et on sait pourquoi il le dit. Notre opinion concorde avec la sienne sur la qualité, mais plutôt à cause de la perte relativement élevée (42%) en énergie. Par contre, 1,31 % en acides aminés essentiels dénote un taux supérieur à celui de la majorité des fruits et des légumes. La zéine constitue cependant une protéine complète et pour le plaisir de la chose, mon dictionnaire (Larousse 1989) soutient que la zéine ne possède pas deux acides aminés essentiels, la lysine et le tryptophane! Monsieur Montignac (cité au chapitre1), pour sa part, va nous aimer pour lui avoir trouvé le fondement de ses aliments à forte incidence glycémique; qui augmentent fortement l'indice du glucose dans le sang sans apport proportionnel en hydrates de carbone.

Cet auteur disait (il le dit encore, car ça provient d'un volume) que ceux dont la diète reposait en grande partie sur cette plante, le maïs, développaient une carence en lysine parce que cette source n'en avait pas ou si peu.

Cette opinion ou conclusion péche en pas mal de points dont une partie devient compréhensible si l'on considère l'utilisation de la notion de la protéine idéale comme outil d'analyse.

En premier lieu, vous avez remarqué que la lysine ne devient critique (et non pas absente) que pour l'enfant; le tryptophane joue le rôle de l'acide aminé critique pour les poupons et les adultes.

Étant donné la pauvreté relative de la protéine, le consommateur doit en manger des quantités considérables pour ne pas développer de carences (une protéine complète cependant) et il en subira les contrecoups en énergie; les riches du coin font dans le gras, et les pauvres, dans le carencé pour ne pas dire dans le misérable; ça fait une société de riches et obèses, et de pauvres et malades. On peut ajouter, que la règle de l'acide aminé critique nous sert non pas à prévoir les carences mais, au contraire, nous permet de nous assurer qu'en consommant de cet aliment plutôt que d'un autre, tout l'acide aminé présent sera assimilé sous la forme recherchée. Il s'agit dans ces cas de garder les calories à l'oeil ou bien la simultanéité avec du gras pour satisfaire M. Montignac.

Un autre aspect non négligeable à considérer pour le maïs, se découvre dans les 42, 43 et 36 % respectivement des précieux acides aminés essentiels transformés en énergie. Avec cette donnée, on peut déduire que les cultures développées autour du maïs devaient avoir de la misère à vivre, mais le coeur à la fête! Ne faut pas oublier les hydrates de carbone et les lipides en sus.

Avant de tirer nos conclusions, réglons, une fois pour toutes, le cas de l'oeuf de poule clamé comme l'aliment le plus nutritif, etc.:

Adulte:	Enfant:	Poupon:

Oeuf de poule(6,18); 01100200(8)5 %; 33004165(3)26 %; 100001121(2)7 %

De ces données, la première chose qui saute aux yeux provient de la précarité de la notion de la protéine idéale qui attribuait une valeur de 100 à une assimilation optimale de 92 %; avec le même oeuf nous parvenons à une assimilation à 95 % chez l'adulte et à 93 % chez le bébé! Chez l'enfant le portrait change: 26% des acides aminés essentiels passent à l'énergie. Sur la richesse nutritive de l'oeuf, vous verrez [*] qu'au moins 46 aliments contiennent plus de nutriments par 100 grammes et, malgré tout ce que l'on dit sur les végétariens, il n'en reste pas moins que la protéine de la graine de citrouille, par exemple, s'avère de beaucoup supérieure... Je m'explique:

Adulte:	Enfant:	Poupon:

Graines de citrouille:(11.5); 23400244(4)29 %; 33204076(6)34 %; 113000444(6)19 %

Pour l'adulte, les 29 % en énergie enlevés des 11.5 grammes d'acides aminés essentiels laissent 8.16 grammes assimilés comme acides aminés. Si on refait la même opération pour l'oeuf, il ne nous restera que 5,87 grammes. La différence nette entre les deux aliments pour un adulte est donc de (8,16-5.87=) 2.29 grammes. Pour l'adulte donc, la graine de citrouille a une protéine supérieure de (2.29/5.87 x 100=) 40% et si nous procédons de la même façon pour l'enfant et le poupon, nous arrivons à des résultats de 66 et 62 %! Jamais je ne m'étais atten-du à des écarts semblables. Non seulement la protéine de l'oeuf de poule ne parvient pas à nourrir autant, mais l'inverse peut s'avérer juste avec des marges non pas de 5 ou 10 % mais bien au-delà de 20 %!

[*] Annexe 1 p. 181-2

Bien se nourrir peut devenir particulièrement hasardeux quand on a à composer avec des informations «scientifiques» aussi imprécises.

Nous avons trouvé trois options pour combler une carence en acide aminé essentiel.

La première, que l'on vient de voir, consiste à avoir recours à des aliments riches en acides aminés essentiels (entre 5 et 15 % dans la première parenthèse) et où l'acide aminé recherché correspond à l'acide aminé critique; nous pouvons ainsi contrôler la quantité absorbée. Si l'apport énergétique du nouvel aliment s'avère supérieur à celui qu'il remplace, nous abaissons notre diète en gras ou en hydrates de carbone ou un peu des deux, à moins d'être sous le poids désiré, auquel cas on passe par-dessus ce détail pour faire d'une pierre deux coups!

La deuxième façon consiste à utiliser des acides aminés sous forme de suppléments alimentaires.

Sous cette forme, l'acide aminé peut se présenter isolé ou dans un mélange avec divers autres; en autant que le sujet nous concerne, nous nous en tiendrons à la forme isolée sauf pour l'isoleucine, la leucine et la valine. Chacun de ces trois acides aminés essentiels, lorsque isolé, s'avère sensible aux surdosages avec des effets secondaires caractérisés; pour éviter cet écueil, nous privilégions la présentation ramifiée (branched), un regroupement particulier de ces trois substances qui assure une proportion sécuritaire.

D'une façon générale, nous ne croyons pas aux vertus des mélanges pour trois raisons qui nous semblent majeures : complexifier la problématique de la santé par la nutrition, alors que nous en sommes encore à démystifier la protéine; s'engager dans la voie médicamenteuse, ornière dont nous avons déjà tant de mal à nous défaire, et reconstituer inconsciemment des protéines incomplètes que nous avons eu tant de mal à défaire.

Malgré ces réserves, il n'en demeure pas moins que nous débouchons sur la médecine de demain où les médicaments spécifiques et pratiquement sans complications seront élaborés à partir de plantes clonées; cette protéine médicamenteuse sera cependant une polypeptide ou une peptide, ce qui veut dire que les éléments du mélange recherché seront reliés par le fameux lien peptidique.

Pour aujourd'hui, j'étouffe quand je considère la façon dont on traite les malades hépatiques ou rénaux, particulièrement les dialysés. Pour se donner de l'air, précisons que la source majeure de l'urée sérique (dans le sang) provient du métabolisme (catabolisme et anabolisme) des protéines. La transformation de l'acide urique en urée s'effectuerait dans le foie et l'élimination de cette urée par les reins. Le langage populaire et les jargons professionnels veulent que les protéines soient essentielles à la vie, donc une certaine quantité de protéines doivent être obligatoirement prises par jour; et à ce sujet, revoyez toute la structure du Guide Canadien de l'alimentation. Or notre organisme n'a besoin que d'acides aminés. Par ailleurs, portons notre attention sur le fait que les acides aminés sous forme de suppléments alimentaires se présentent à l'état pur. On y trouve seulement de l'acide aminé concerné, et ce, sans lien peptidique, donc ne nécessitant aucun travail particulier, de la part de l'organisme, pour passer de la bouche à la cellule qui va se faire un plaisir de l'accueillir. En connaissant cette particularité, commencez-vous à comprendre qu'un mélange approprié d'acides aminés éliminerait l'apport inévitable d'urée normal, pour la plupart mais fatalité pour certains? Entrevoyez-vous une baisse du besoin en dialise? C'est encore évidemment trop simple! Disons que je n'ai rien dit; passons le tout sur le dos d'un laïus.

Cette deuxième option, celle des suppléments alimentaires, a l'immense avantage de permettre de cerner plus rapidement l'acide aminé en carence pour, par la suite, ajuster la diète en conséquence. Bien plus, cette forme permet de fournir directement au corps ce dont il aura besoin pour s'adapter physiologiquement à des conditions exceptionnelles que l'on n'a pas vu venir ou imprévisibles. Exemple, un abus d'alcool non planifié, un accident de la route éprouvant, une période imprévue de surmenage émotif ou physique, ou les deux. Ce genre de situations, lorsque prévisibles à moyen terme, peuvent également se gérer par la première ou la troisième option. La deuxième option, les suppléments alimentaires, se révèle plus appropriée, sinon expéditive, dans une démarche diagnostique et pour les résultats à courte échéance, quitte à ajuster sa diète par la suite.

La troisième option, l'option des nutritionnistes sophistiqués, consiste à combiner les aliments où l'acide aminé critique chez l'un se manifeste en surplus chez l'autre; où la basse valeur selon le profil correspond à une valeur plus élevée chez l'autre. En procédant ainsi, on peut augmenter considérablement (toutes proportions gardées) l'apport en acides aminés des aliments et ainsi fournir au corps, pour le même travail, l'éventail des substances dont il pourrait avoir ou a besoin. Cette approche apparaît comme une stratégie de prévention de carence et d'utilisation optimale de la nourriture par laquelle, à la limite, avec exactement les mêmes aliments, en modifiant la séquence, on peut arriver à des résultats diamétralement opposés entre la nutrition et la sustentation; entre la structure et l'énergie.

À ce chapitre, vous pouvez revoir la nutrition des professionnels de sumo, lesquels, avec sensiblement les mêmes rations de diète que celles de leurs concitoyens, parviennent à l'obésité et la maintiennent en ne modifiant que le moment et la séquence de la prise de leurs aliments.

Si le sujet intéresse et on le verra avec l'accueil de ce livre, je vous en fournirai les divers profils avec les combinaisons les plus intéressantes; comment avec beaucoup moins parvenir à beaucoup plus!

L'intérêt de cette façon de voir ne réside cependant pas dans la dimension économique, si l'on exclut les plus démunis, puisque la partie du budget destinée à ces dépenses ne représente qu'entre 10 et 15 % de l'ensemble des revenus; ce qui veut dire qu'une récupération même de 25 %, n'équivaudrait qu'à une économie réelle que de 3 % des dépenses alors qu'on accepte comme normal que nos édiles fassent des «erreurs» d'estimation de coûts supérieurs à 10 % ! (La seconde partie seulement de l'envolée précédente peut être considérée comme un laïus).

Mais oui, il s'avère possible de vivre en santé, ou du moins, de se choisir un équilibre physiologique!

Mais oui, on peut augmenter ses probabilités de le conserver!

Non, je ne crois pas possible l'absence perpétuelle de malaises, la problématique, jusqu'à mieux informé, se présente comme trop complexe!

Oui, on peut s'organiser pour que nos malaises ne se détériorent pas en maladie!

Lisez les caractéristiques physiologiques reliées aux acides aminés et vous verrez combien de bobos et même d'états qualifiés de maladies peuvent se modifier d'heureuse façon. Vous verrez aussi que pour plusieurs situations où vous utilisiez ou utilisez des médicaments, l'alimentation peut s'avérer plus efficace, et cette révélation, de fait, nous restitue la normale, puisqu'il s'agit de carences que le corps ne peut régler puisqu'il lui manque ce qu'il lui faut...

Une fois les acides aminés écartés comme hypothèses de solutions plausibles, n'oubliez pas les minéraux. Ces éléments éliminés, vous saurez qu'il s'agit de vitamines.

Un dernier petit laïus peut-être?

Dans le contexte présent, je trouve les professionnels de la santé de mauvaise foi. Ils savent bien que vous bouffez probablement trop de vitamines, mais ils n'ont pas d'alternative raisonnable à celle de vous enjoindre de bien manger; ce qui se présente comme moralement édifiant mais concrètement impossible. Et quand, forcément, vous devenez malade, vous devez avoir recours à des médicaments, alors que vous avez toujours su intuitivement que vous pouviez vous organiser mieux et plus sainement, mais comment?

Les nutritionnistes plus subtils, en ne s'enfargeant pas avec la notion de protéine idéale auraient été plus près de et prêts à nous aider à concrétiser leur «mangez bien et vous n'aurez pas besoin de suppléments vitaminiques».

M'enfin, je crois qu'il devient de plus en plus évident que l'on peut se comprendre et de plus en plus certain que vous pouvez y mettre du vôtre d'une façon de plus en plus rationnelle et structurée. Bon appétit! Excusez; meilleure santé! En tous cas, portez-vous bien!

CHAPITRE 4

Fiches techniques des acides aminés.

4.0- INTRODUCTION AUX SECTIONS SUIVANTES

Selon la physique, les substances qui font dévier une source lumineuse polarisée vers la gauche se disent lévogyres et celles qui la font dévier vers la droite, dextrogyres. Cette caractéristique s'exprime en faisant précéder le nom de la substance par un L- ou un D-.

La majorité des acides aminés que l'on retrouve dans la nature ont la caractéristique physique lévogyre. Il est devenu d'usage, cependant, d'identifier tous les acides aminés par un L-, non plus pour signifier qu'ils ont la caractéristique lévogyre, mais plutôt pour indiquer la forme sous laquelle on les retrouve habituellement dans les organismes vivants. L-lysine indique donc que cette substance dénommée lysine possède les caractéristiques d'un acide aminé que l'on retrouve habituellement sous cette forme dans l'univers des êtres vivants, et non pas nécessairement, qu'elle ait la caractéristique physique lévogyre bien que, selon toute probabilité, elle l'ait. De la même façon, un acide aminé précédé plutôt d'un D- caractéristique signifie que cette forme d'acide aminé a été synthétisée en laboratoire ou en usine. Ainsi D-carnitine est un acide aminé qui ne se trouve probablement pas dans la nature, car si l'on veut couper les cheveux en quatre, mentionnons que l'Encyclopédia Universalis[1] précise que, même si la forme L- représente le format généralement trouvé dans la nature, la forme de type D- de certains acides aminés peut se retrouver aussi dans des micro-organismes.

Ces quelques précisions vont permettre de comprendre pourquoi à l'entête d'un texte, l'acide aminé en vedette a le L- caractéristique d'accolé, à l'exception d'un D- pour un type de phénylalanine. Pour le reste, nous avons omis la particule

---

[1] 1968 - Aminoacides - Vol. 1 -

d'identification, comme aux chapitres précédents, à moins que la clarté du texte ne l'impose. En d'autres termes, toute identification d'un acide aminé devrait comprendre un L- ou un D-caractéristique, mais nous les avons omis sauf dans les entêtes et dans les textes où la clarté semblait le requérir.

Une caractéristique de certains acides aminés réside dans le fait qu'ils constituent des glucoformateurs. L'énergie (physiologique et physique) provient des hydrates de carbone, des gras et des acides aminés essentiels résiduels résultant de l'intervention de l'acide aminé critique. Ces diverses sources doivent se modifier en glucose, le carburant de l'organisme, carburant qui se distribue aux cellules des divers organes et tissus via le sang. Le glucose s'emmagasine cependant sous la forme de glycogène dans le foie et les muscles. La portion de glucose dans le sang en proportion avec le sang lui-même peut se ramener à un rapport, à un taux : la glycémie. Les hydrates de carbone et les acides aminés résiduels représentent les formes les plus directement transformables en glucose; tandis que les gras ne le deviennent qu'après un processus de transformation plus long. Quand les sources primaires d'énergie (hydrates de carbone et acides aminés résiduels) s'avèrent insuffisantes pour répondre à la demande glycémique, un certain délai peut s'imposer avant que l'énergie en provenance du métabolisme des gras devienne disponible (que le gras se transforme en glucose) ou que cet apport s'avère insuffisant de toute façon. Dans ce cas, l'organisme s'approvisionne en énergie d'urgence chez les acides aminés de type glucoformateur.

De cette caractéristique, on se rend compte d'une part que les acides aminés ne constituent pas seulement une source d'énergie sous une forme que l'on peut objectivement prévoir, à savoir, les acides aminés essentiels non assimilés comme tels, mais également une source d'énergie variable selon l'économie que l'organisme fait de ses ressources; et là, l'incidence psychologique peut prendre bien de l'importance.

De ce fait, à la fonction structurale déjà accordée aux acides aminés, on doit ajouter une fonction énergétique d'une part prévisible selon l'assimilation et imprévisible ou variable selon un rôle supplétif.

Enfin, les nerveux, les cérébraux et les stressés, compte tenu de la préoccupation pour les carences et de leur incidence, questionnez particulièrement, les acides aminés glucoformateurs qui peuvent devenir déficients même si votre diète normale comprend apparemment suffisamment de ces substances !

4.1- L-ACIDE ASPARTIQUE

Acide aminé non essentiel au sens particulier utilisé pour les aminoacides. Acide aminé glucoformateur, l'organisme le transforme donc en glucose en situation d'urgence où il y a besoin d'énergie, que les réserves en glycogène sont basses et que le recyclage des graisses, déclenché, ne parviendra pas à temps pour répondre à la demande immédiate. Tel état de fait sous-entend qu'une déficience en cet acide aminé peut survenir par suite de l'économie de l'énergie plutôt que par une demande spécifique de cet acide aminé.

L'acide aspartique contribue à l'expulsion de l'ammoniaque de l'organisme et aide ainsi à protéger le système nerveux central et le foie : dans le système circulatoire, l'ammoniaque est une substance hautement toxique. Dans le cycle de l'urée, L-acide aspartique et L-citrulline, un acide aminé non retenu dans notre nomenclature, sont précurseurs, de L-arginine, un autre acide aminé.

L'acide aspartique s'allie à d'autres acides aminés pour former des molécules qui absorbent puis éliminent diverses toxines du système circulatoire.

Synthétisée de l'acide oxalique (minéral de calcium) dans le cerveau, elle intervient dans la synthèse protéique.

Constitue un adjuvant, une aide au fonctionnement cellulaire ainsi qu'à la formation de l'ARN et l'ADN, les deux acides nucléiques fondamentaux, supports de l'hérédité donc du programme pour fabriquer des cellules.

Des recherches ont démontré qu'il constitue un agent important pour augmenter la résistance à la fatigue. L'administration de sels d'acide aspartique à des athlètes a augmenté de façon notable leur vigueur et leur endurance; une fatigue chronique peut constituer le signe d'un niveau trop faible en acide aspartique provoqué par un niveau d'énergie cellulaire trop bas.

Dans les cas de spasmes musculaires, L-acide glutamique et l'acide aspartique favorisent une meilleure transmission musculaire.

Sa fonction générale pourrait se résumer en un stimulant d'humeur qui augmente aussi l'endurance et la vitalité.

L'acide aspartique, L-phénylalanine et L-glutamine se démontrent trois acides aminés indispensables au bon fonctionnement du cerveau.

Une réduction d'acide aspartique dans les hémisphères cérébrelleux et le vernis a été observée chez des sujets atteints d'ataxie de Friedreich.

L'édulcorant aspartane se révèle un composé constitué d'acide aspartique et de L-phénylalanine, un autre acide aminé.

Effets qu'on pourrait en attendre

- Soulagement d'une fatigue chronique;

- Gain de vigueur à l'effort et de tolérance à la fatigue;

- Détoxication de l'organisme;

- Soulagement de spasmes musculaires.

Sources naturelles (par ordre décroissant d'importance)

Arachides (3,5 g /100 g), thon, sardines, graines de citrouille, graines de tournesol, amandes, graines de sésame, truite, crevettes, blanc de dinde, saumon (2,024 g). Se référer à la section réservée à cet effet en fin de volume.

Suppléments

Capsules ou en poudre.

Supplémentation

En supplémentation, la ration quotidienne habituelle est de 1 500 mg en trois prises de 500 mg, entre les repas, avec de l'eau ou un jus.

Remarques

Aucune limitation particulière relevée sauf pour les femmes enceintes ou allaitantes qui doivent consulter leur médecin avant de procéder à une supplémentation.

Principales sources d'information utilisées

cf : 1, 2, 3, 4, 5, 6, 7, 9, 10 (En bibliographie, p. 247)

4.2- L-ACIDE GLUTAMIQUE

L'acide glutamique ou glutamate figure parmi les acides aminés non essentiels dans le sens utilisé pour les aminoacides.

L'acide glutamique fait partie des substances qui franchissent aisément la barrière hémato-encéphalique.

Une supplémentation en L-glutamine augmente la quantité d'acide glutamique au cerveau.

Dans le cerveau, comme neurotransmetteur, l'acide glutamique constitue un neurostimulateur: il augmente l'intensité des décharges électriques des neurones du système nerveux en général. Il avoisine le L-GABA lequel agit comme inhibiteur de cette même activité nerveuse. Ces deux substances se synthétisent en neurotransmetteurs et se désagrègent près des terminaisons nerveuses; cette paire de substances est utilisée par le cerveau pour réguler l'activité cérébrale.

L'acide glutamique présent dans la vésicule (sac) synaptique d'un neurone se lie à un neurone voisin par le récepteur dit NMDA (N-méthyl-D-Aspartane [L-acide aspartique et L-phénylalanine]), puis via des ions de calcium (Ca2+) active l'enzyme NO synthase qui transforme L-arginine en citrulline et en monoxyde d'azote (oxyde nitrique (NO) durée de vie, 10 secondes. Le monoxyde d'azote ainsi généré revient au neurone initial pour stimuler ou inhiber (selon l'aire du cerveau impliquée) la libération d'autres neurotransmetteurs.

L-GABA (acide gamma-aminobutirique), acide aminé non retenu dans notre nomenclature, provient (dépendant) de l'acide glutamique. Ce neurotransmetteur du système nerveux central, comme précédemment mentionné, prévient l'emballement de l'activité cérébrale en empêchant les neurones de se décharger trop violemment. De concert avec la B-3 et l'inositol, il interdit aux messages d'anxiété et de stress de parvenir aux centres moteurs du cerveau en occupant les sites de réception.

Le GABA s'utilise comme un calmant tout comme les autres tranquillisants prescrits mais sans la crainte d'un développement de dépendance. Utilisé dans le traitement de l'épilepsie et de l'hypertension; salutaire, par son effet relaxant, aux pulsions sexuelles déprimées; utile, probablement par son rôle dans la sécrétion des hormones sexuelles, au soulagement des prostates enflées et, enfin, efficace dans le traitement des déficits de l'attention. Constituent un indice d'un surplus de GABA : une augmentation de l'anxiété, un souffle court, un engourdissement autour de la bouche et des picotements aux extrémités.

On considère fréquemment l'acide glutamique comme le carburant du cerveau, alors qu'en réalité il partage ce rôle avec, évidemment, le glucose. Le cerveau, en fonctionnant (vie végétative, psychique et cérébrale), génère de l'ammoniaque comme sous-produit de ses activités et toute ammoniaque résiduelle, non éliminée, inhibe (ralentit) le fonctionnement cérébral. L'acide glutamique a la propriété, avec l'apport de la vitamine B-6, de transformer l'ammoniaque en glutamine et ainsi de stimuler les capacités intellectuelles en enlevant au cerveau les entraves qui l'empêchent de fonctionner librement. À ce titre, d'ailleurs, on lui attribue la caractéristique de neutraliser la toxicité de l'ammoniaque. L'acide glutamique contribue également au métabolisme des gras et des sucres.

Ainsi, l'acide glutamique permet de recycler en glutamine l'ammoniaque résultant de l'activité cérébrale. On comprendra, alors, l'influence attribuée à l'acide glutamique sur les capacités cérébrales, dont l'amélioration de la mémoire et l'augmentation de la vivacité mentale. Cet acide aminé se trouve à agir également comme un cordial (donner de l'allant) face à la fatigue. Il aide, aussi, à corriger certainsproblèmes (désordres) de personnalité (comportements).

L'acide glutamique contribue, avec L-glycine et L-cystéine, à la formation (synthèse) du glutathion.

Le glutathion s'avère l'antioxydant le plus abondant dans l'organisme. Sa synthèse s'effectue dans le foie (glutathion sérique) ou à l'intérieur des cellules. Le glutathion sérique ne pénètre pas à l'intérieur des cellules; chaque cellule élabore son antioxydant à partir de constituants. Le glutathion sérique se retrouve surtout dans le foie (désintoxication du mercure, cadmium et plomb et neutralisation de carcinogènes) bien qu'on le relève dans le sang (protection et prolifération des globules blancs), les poumons (protection des globules rouges) et les intestins (métabolisme des hydrates de carbone).

À l'intérieur des cellules, les radicaux libres générés par le métabolisme peuvent être neutralisés par des molécules de vitamine E lesquelles deviennent à leur tour chimiquement actives. Les substances qui ont la propriété de neutraliser l'activité chimique nocive d'une autre substance tout en s'activant elles-mêmes, sans devenir dangereuses toutefois, constituent des antioxydants. La vitamine -E peut, à son tour, se neutraliser ou se régénérer par la vitamine C. La vitamine C, de même, soit par la vitamine A et ses provitamines (les caroténoïdes), soit par l'acide lipoïque ou soit par l'ubiquinone (coenzyme Q-10). Tout antioxydant non régénéré semble biologiquement irrécupérable et s'évacuerait. Le glutathion neutralise la plupart des radicaux libres et peut regénérer les vitamines A,C,E, et autres substances, précédemment citées, dans leur rôle d'antioxydant.

L'organisme peut utiliser jusqu'à 3 g de glutathion par jour. Le glutathion peut se régénérer, à son tour, par le glutathion réductase (enzyme synthétisée à partir du glutathion et du sélénium) et par le NADH (coenzyme Q-1).

L'organisme, avec l'âge, produit de moins en moins de glutathion. Entre 60 et 80 maladies se manifestent attribuables aux radicaux libres. Les personnes présentant un fort taux en glutathion possèdent un taux plus bas en cholestérol, ont une pression sanguine plus basse et ont moins d'embonpoint tout en disant se sentir mieux que les personnes en possédant un taux très bas et chez lesquelles on retrouve plus de maladies cardiaques, d'arthrite et de diabète.

Cet acide aminé figure avec le chrome, la vitamine B-3, L-cystine et L-glycine comme un composant du facteur de tolérance au glucose ou GTH. Le GTH constitue une carte maîtresse dans la synthèse des glucides en réduisant la quantité d'insuline impliquée dans ce processus d'où diminution du travail par le pancréas; le facteur de tolérance au glucose contribue ainsi au maintien en santé de cet organe tout en permettant l'élimination d'une fatigue attribuée à l'hypoglycémie.

L'acide glutamique accélère la guérison des ulcères.

Cet acide aminé s'utilise seul ou en conjugaison avec d'autres acides aminés pour le traitement d'impuissance, de fatigue et de dépression; cette utilisation se défend plus aisément quand on connait le lien avec le GABA et le glutathion (il en est le précurseur) et la fonction de ces derniers.

Dans les situations de spasmes musculaires, l'acide glutamique et l'acide aspartique favorisent une meilleure transmission musculaire.

Cet acide aminé aide au contrôle (donne du pouvoir aux sujets sur leur état) de l'alcoolisme, de la schizophrénie et de la sensation opiniâtre d'un besoin de sucre. L'acide glutamique s'avère cependant beaucoup moins efficace que la glutamine dans le traitement de l'alcoolisme.

Un médecin américain, qui se publicise lui-même, recommande l'acide glutamique, L-alanine et L-glycine en prises simultanées de concert avec du palmier nain pour intervenir auprès des prostates enflées (hypertrophiées).

Reconnu un excellent désintoxicant d'organes, surtout du foie (filière glutathion?).

En prime, l'acide glutamique réduit très sensiblement les effets indésirables (effets secondaires) liés aux traitements de chimiothérapie à base de Vincrine (Oncovin, Vinscrine Bellon).

Le glutamate de sodium s'avère un sel dérivé de l'acide glutamique.

Effets qu'on pourrait en attendre

- Soulagement de la fatigue mentale;
- Meilleure mémoire;
- Vivacité d'esprit;
- Guérison accélérée d'ulcères;
- Approvisionnement en glutathion:
    - Ralentissement de la sénescence (radicaux libres);
    - Prévention et soulagement:
        - Obésité;
        - Accrochés;
            - Hyperactivité;
            - Alcool;
            - Sucre;
            - Caféine.
        - Allergies;
        - Arthrite;
        - Cancers:
            - Poumons;
            - Peau;
            - Prostate;
            - Vessie.
- Protection des effets biologiques du stress;
- Approvisionnement en GABA;
- Remontant pour les fatigués;
- Intervention sur de l'impuissance;
- Élément d'intervention sur une prostate hypertrophiée;
- Soulagement de spasmes musculaires;

- Adoucissement des crises de:
>> schizophrénie;
>> alcoolisme(glutamine plutôt);
>> désir exacerbé de sucre;
>> comportements inadéquats;
- Soulagement des hypoinsuliniques;
- Augmentation de la tolérance au glucose (G T H);
- Protection du pancréas;
- Amenuisement des inconvénients dus à des traitements anticancéreux.

Sources naturelles

Quelques fromages, les arachides et les graines de tournesol sont d'excellentes sources. - Une supplémentation en L-glutamine augmente les réserves en acide glutamique. Consulter la fin du présent volume où des sources sont énumérées par ordre d'importance.

Suppléments

Capsules d'acide glutamique.

Supplémentation

La glutamine se prend avant les repas et la ration quotidienne se subdivise en prises qui s'échelonnent dans la journée. La dose quotidienne maximale s'élève à quatre grammes en glutamine et à deux grammes en acide glutamique.

Pour combattre la fatigue physique et intellectuelle; 500 à 750 mg par jour.

Pour prévenir les crises d'épilepsie ou de convulsions : 250 mg d'acide glutamique et 250 mg de L-taurine trois fois par jour. Diluer le contenu d'une demie gélule dans un peu d'eau pour obtenir les 250 mg requis par prise.

Pour le traitement d'impuissance:
>> à jeun; 125 à 250 mg
>> 250 à 500 mg de phénylalanine
>> 250 à 500 mg de tyrosine.

Pour combattre la fatigue et la dépression rencontrées chez les alcooliques; 500 mg à 750 mg par jour.

Pour la stimulation des activités mentales et de l'humeur, ajouter une supplémentation de vitamine B-6 (maximum 200 mg par jour sauf les parkingsoniens traités à la levadopa).

Pour de la fatigue, une dépression ou de l'impuissance sexuelle, un auteur préconise 250 à 500 mg quotidiennement les deux premières semaines, 750 mg les deux semaines suivantes et 1 000 mg après un mois jusqu'à disparition définitive des malaises.

Pour les autres effets, la quantité personnelle requise peut se découvrir selon une estimation initiale quotidienne de 250 mg quitte à l'augmenter graduellement plutôt que de débuter avec une dose plus forte qu'on devra diminuer par la suite.

Remarques

Éviter tout usage de glutamine ou d'acide glutamique dans les cas d'hyperexcitation et de manie.

Jusqu'à mieux informé, prendre en acide glutamique la moitié des doses préconisées en glutamine.

Bien que les substances diffèrent, une allergie au glutamate de sodium peut coïncider avec une autre à la L-glutamine ou à l'acide L-glutamique; pour cette raison, on suggère une surveillance médicale avant d'entreprendre une première supplémentation.

Principales sources d'information utilisées

cf : 1, 2, 3, 4, 5, 6, 7, 8, 9, 10, 11, 12, 13, 14
(En bibliographie, p. 247)

4.3- L-ALANINE

Acide aminé non essentiel au sens particulier utilisé pour les aminoacides. Aminoacide glucoformateur, l'organisme le transforme donc en glucose en situation d'urgence où il y a besoin d'énergie, que les réserves de glycogène s'avèrent basses et que le recyclage des graisses en cours ne parviendra pas à temps pour répondre à la demande immédiate. Tel état de fait sous-entend qu'une déficience en cet acide aminé peut survenir par suite de l'économie de l'énergie plutôt que par une demande spécifique en cet acide aminé en particulier.

Hydrate de carbone simple, intermédiaire de L-acide glutamique.

Une des formes de l'alanine, la bêta-alanine, est un constituant de la vitamine B-5 (acide pantothénique) et de la bêta-carotène, coenzyme de la vitamine A.

La gélatine, principal constituant des cartilages et des tissus conjonctifs, comprend 8.7% d'alanine, 25% de L-glycine, 14.1% d'hydroxyproline, et 9.5% de L-proline .

Dérivé de l'acide pyruvique, l'alanine se désamine facilement en cet acide. Du fait qu'il constitue un produit également intermédiaire du métabolisme des glucides: l'alanine aide au métabolisme des sucres et des acides organiques.

Importante source d'énergie pour les tissus musculaires, pour le cerveau et pour le système nerveux central.

Un médecin-clinicien américain, dans une de ses publications adressée à ses clients, recommande l'alanine, L-acide glutamique et L-glycine en prises simultanées de concert avec du palmier nain pour intervenir efficacement auprès des prostates enflées (hypertrophiées).

Cet acide aminé renforce le système immunitaire en stimulant la production d'anticorps; la présence du virus Epstein-Barr et la fatigue chronique ont été associées avec un taux anormalement élevé d'alanine combiné à une carence (taux bas) en L-phénylalanine et en L-tyrosine, deux autres acides aminés.

Les acides aminés traversent la barrière hémato-encéphalique à l'aide de deux navettes (transporteurs) sensibles à l'alanine et à L-leucine.

Ce qu'on peut en attendre

-Effet tonique pour le système immunitaire;

-Élément d'intervention auprès d'une prostate hypertrophiée;

-Diminution du taux d'acidité organique;

-Tonifiant pour les tissus musculaires et conjonctifs;

-Tonifiant pour le système nerveux central et le cerveau;

-Énergisation générale de l'organisme.

Sources naturelles (par ordre décroissant d'importance):

Sardines (1,498 g / 100 g), graines de sésame, viande blanche de la dinde, truite, foie de boeuf, viande brune de la dinde, saumon, thon, viande blanche de poulet, steak de ronde de boeuf, foie de dinde, crevettes (1,151 g /100 g).

Se référer à la section du livre sur les sources de nutriments.

Suppléments

En poudre ou en capsules.

Supplémentation

Une cuillère à thé d'alanine en poudre représente environ 2,84 g. La posologie habituelle comprend de 720 à 1 440 mg par jour (1/4 à 1/2 cuillère à thé) sur estomac vide ou autrement selon les recommandations d'un professionnel de la santé ou d'un entraîneur professionnel.

Remarques

Les femmes enceintes ou allaitantes, faites-vous un devoir de consulter un professionnel de la santé avant de débuter une supplémentation en alanine.

Principales sources d'information utilisées

cf : 1, 2, 3, 4, 5, 6, 7, 8, 9, 10, 11(En bibliographie, p. 247)

4.4- L-ARGININE

Acide aminé non essentiel au sens particulier où ce terme est utilisé pour les aminoacides.

L'arginine et L-ornithine, deux acides aminés, figurent parmi les substances à partir desquelles l'hypophyse élabore la fameuse hormone de croissance (HGH). L'arginine peut se retrouver dans les aliments tandis que l'ornithine ne se trouve pas dans les protéines que nous consommons. Une partie de l'arginine, dans le cycle de l'urée, se transforme en L-ornithine, laquelle, à son tour, se retransforme en arginine en passant par la citrulline (L-), un autre acide aminé non essentiel qui n'a pas été retenu dans notre nomenclature. L'arginine joue le rôle de déclencheur de la sécrétion de l'hormone de croissance, facteur qui transforme les graisses en muscles.

Cet acide aminé améliore la cicatrisation et diminue les inconvénients physiques reliés aux états post-opératoires. Les tissus cicatriciels ont une forte teneur en arginine. Il soulage des brûlures gastriques par suite d'une cuite et élimine l'ammoniaque de l'organisme (pas du cerveau, ce rôle relève de L-glutamine).

L'arginine et l'ornithine stimulent la croissance musculaire aux dépens des masses de graisse. Ce travail de minceur s'effectue durant le sommeil et devient encore plus spectaculaire si on y ajoute L-carnitine.

L-acide glutamique, d'un neurone du cerveau, active, via des ions de calcium (Ca+), l'enzyme No-synthase d'un neurone adjacent, lequel transforme L-arginine en L-citrulline et en monoxyde de carbone (No). Ce monoxyde de carbone (durée de vie de 10 secondes) retourne au neurone initial pour augmenter ou diminuer (selon l'aire du cerveau impliquée) la libération d'autres neurotransmetteurs. Selon ce dernier processus, l'arginine se révèle important dans le mécanisme d'accélération ou d'inhibition de l'activité cérébrale puisque les neurones comptent pour 25% des cellules composant le cerveau.

L'arginine constitue la substance utilisée par les cellules qui tapissent les artères pour produire l'oxyde d'azote dit facteur relaxant dérivé de l'endothélium ou FRDE (en anglais EDRF) lequel, à toute fin pratique, arrête le processus de l'artériosclérose. L'élaboration du FRDE se bloque par l'homocystéine, sous-produit non neutralisé du métabolisme de L-méthionine.

Tout traumatisme, de fait, augmente la demande de l'organisme en aliments à forte teneur en arginine et des études ont démontré que des supplémentations, non seulement accéléraient la guérison des blessures, mais de plus, facilitaient la régénération du foie. En fait, elle désamorce les désordres rénaux et les traumatismes physiques.

L'arginine s'avère cruciale pour une croissance optimale des muscles ou la réparation des tissus; elle stimule la production du collagène. Un détoxicant musculaire et hépatique que nous pouvons utiliser pour prévenir et inhiber les spasmes et secousses musculaires ainsi que pour nettoyer le foie. D'un apport bénéfique pour les foies mal en point par suite d'une cirrhose ou d'un engorgement.

Cet aminoacide stimule la sécrétion de l'insuline qui stocke le glucose à l'intérieur des cellules et résulte en un agent important pour la remise en circulation, sous forme de glucose, des graisses stockées pour l'approvisionnement en énergie.

L'arginine améliore la réponse du système immunitaire aux bactéries et virus ainsi qu'aux cellules cancéreuses ou tumorales dont elle inhibe la prolifération. Elle augmente le volume et l'activité du thymus, la manufacture de lymphocytes ou cellules tueuses de ce même système immunitaire.

Un cocktail comprenant de l'arginine permet d'améliorer la mémoire des sujets ainsi supplémentés et inhibe les manifestations de la sénilité.

Toute protamine constitue une protéine de faible poids moléculaire, à réaction basique, du fait de sa richesse en arginine. Les protamines abondent dans les noyaux des spermatozoïdes et l'arginine se retrouve en quantités importantes dans le liquide séminal. Une supplémentation en arginine influence directement la quantité et la mobilité des spermatozoïdes et a ainsi un effet sur la fertilité ou capacité de fécondation des hommes. Une déficience (carence) retarde la maturité sexuelle.

Elle contribue à l'anabolisme (synthèse) de plusieurs enzymes et hormones et elle s'avère une composante de la vasopressine, hormone de l'hypophyse impliquée dans la tonicité des vaisseaux et le volume des urines.

Une carence en arginine peut induire de multiples dysfonctions, entre autres, nuire à la production de l'insuline, à la tolérance au glucose et au métabolisme des gras (lipides).

Ce qu'on pourrait en attendre

- Les bénéfices attribués à l'hormone de croissance qu'elle stimule: :

- Aide à la conversion des graisses en énergie et en muscles;

- Accélération de la guérison des blessures et des tissus endommagés;

- Formation de collagène pour des tendons et des ligaments sains;

- Abaissement des niveaux d'urée dans le sang;

- Meilleure synthèse des protéines pour une croissance musculaire;

- Génération de monoxyde d'azote physiologique (neurones et vaisseaux);

- Aide à combattre l'artériosclérose par le FRDE.

- Amélioration du nombre et de la motilité des spermatozoïdes;

- Renforcement du système immunitaire;

- Développement du thymus;

- Stimulation de la prolifération des lymphocytes (cellules-T)

- Soulagement des suites gastriques d'une cuite;

- Régénération et désintoxication du foie;

- Aide à métaboliser les graisses accumulées;

- Prévention et soulagement de spasmes et secousses musculaires;

- Désamorçage des troubles rénaux et des traumatismes physiques;

- Stimulation de sécrétion d'insuline et de l'hormone de croissance;

- Participation à l'éloignement des manifestations de la sénilité;

- Contribution à la vivacité de la mémoire;

- Inhibition de la prolifération des cellules tumorales et cancéreuses.

Sources naturelles

Noix, maïs soufflé, caroube, gélatine, chocolat, riz brun, avoine, fèves soja, farine blanche, germe de blé, raisins secs, pain de blé entier et tous les aliments riches en protéines.

Voir la section sur les sources en nutriments plus avant dans ce livre.

Suppléments

Capsules de 500 mg ou en poudre.

Mélange de 500 mg d'arginine avec 250 mg d'ornithine en capsules.

Supplémentation

Compte tenu du fait que l'organisme synthétise de l'arginine à partir de l'ornithine et que l'ornithine s'avère deux fois plus puissante à quantités égales; les rations prévues en arginine peuvent l'être de moitié en ornithine. De plus, les formules arginine/ornithine se révèlent plus efficaces que les formules simples d'arginine ou d'ornithine, particulièrement dans les options de perte de poids et de développement de la musculature.

Dans une recherche de renforcement du système immunitaire, d'augmentation de la résistance aux maladies et de la rapidité de guérison et de cicatrisation, 500 mg par jour avec de l'eau à jeun au lever mais préférablement au coucher.

Même posologie dans une recherche d'amélioration de la qualité du liquide séminal.

Pour le traitement de l'artériosclérose, 1 000 g (ou plus?) par jour pour l'élaboration du FRDE accompagnés d'une supplémentation en B-6 (50 mg) et en B-9 (800 mcg) et en B-12 (80 mcg) pour neutraliser l'homocystéine.

La recette du cocktail du docteur Carl Pfeiffer, pour la mémoire et les manifestations de sénilité, n'étant pas indiquée dans nos sources, nous nous aventurons dans la ration quotidienne suivante: arginine 500 mg, ornithine 250 mg et méthionine 500 mg à prendre selon les mêmes modalités.

Dans une recherche de minceur, de gain d'énergie, de ligaments et de tendons en meilleure condition et de développement de la musculature, de 2 000 jusqu'à 6 000 mg par jour au même moment de prise que précédemment.

Les culturistes et les sportifs engagés dans un programme de développement musculaire peuvent se permettre une ration de 1 500 à 3 000 mg d'arginine combinée avec 750 à 1 500 mg d'ornithine à prendre une heure avant le début de leur entraînement.

Remarques

1:Des suppléments d'arginine sont déconseillés durant:

  - La grossesse

  - L'allaitement

  - L'enfance

  - L'adolescence
    (tant que la croissance n'est pas terminée [25 ans]).

  -Un état schizoïde
  (30 milligrammes par jour maximum).

2:   On déconseille l'arginine et non l'ornithine à ceux qui souffrent d'herpès. Ceux qui souffrent d'herpès doivent adopter l'option ornithine exclusivement.

3: Ne pas dépasser une ration équivalente à 10 g (ornithine; 5 g) par jour, car il existe un risque de déformation osseuse.

4: Si votre épiderme (votre peau) semble s'épaissir ou durcir, abaissez votre ration d'arginine.

5: Éviter les supplémentations à fortes doses (5 g et plus) sur une longue période.

Principales sources d'information utilisées

  cf : 1, 2, 3, 4, 5, 6, 7, 8, 9, 12 (En bibliographie, p. 247)

4.5- L-ASPARAGINE

Acide aminé non essentiel au sens particulier utilisé pour les aminoacides. Se synthétise dans le cerveau au cours du cycle dit citrique.

Précurseur de l'acide aspartique, l'asparagine se transforme en acide aspartique et en ammoniaque par l'enzyme asparaginase.

Cet acide aminé facilite, dans le foie, les synthèses par lesquelles un acide aminé est modifié pour produire d'autres substances.

L'asparagine s'avère nécessaire à l'équilibre du système nerveux central en éliminant les pointes d'humeur trop calme et trop nerveux; les états extrêmes de nervosité ou d'apaisement.

Effets qu'on pourrait en attendre

-Élimination de carence en acides aminés non essentiels ;

-Promotion de la sérénité ;

-Approvisionnement en L-acide aspartique.

Sources naturelles

L'asparagine se retrouve surtout dans les viandes; nous en ignorons cependant les sources spécifiques ainsi que leur teneur.

Suppléments

En capsule de 500 mg.

Supplémentation

Une capsule par jour sur estomac vide.

Remarques

Pas de restrictions particulières.

Principales sources d'information utilisées

cf : 1, 2, 3, 4, 5, 6, 7, 8, 9 (En bibliographie, p. 247)

4.6- L-CARNITINE

Substance de type vitaminique du groupe B appelée aussi vitamine BT, la carnitine se distingue des autres acides aminés en ne participant pas aux synthèses protéiques et en n'agissant pas comme neurotransmetteur.

L-Carnitine, acide aminé non essentiel au sens particulier où ce terme est utilisé pour les aminoacides se compose de lysine et de méthionine, deux acides aminés essentiels. La carnitine peut s'élaborer dans notre organisme en présence d'une quantité suffisante de lysine et de méthionine alliée à des vitamines B-1, B-6 et C ainsi que du fer. On la retrouve dans le coeur et les muscles du squelette.

Cet acide aminé forme des esters avec les acides gras et sa fonction primaire consiste à transporter ces derniers au-travers de la paroi des mitochondries (centrales énergétiques cellulaires) et ainsi à approvisionner le coeur et les cellules du corps en énergie. En fait, la carnitine amène les graisses aux mitochondries pour qu'elles y soient brûlées et transformées en énergie. Elle constitue la principale source d'énergie musculaire. Pour cette raison, elle entre dans la supplémentation des sportifs et on l'incorpore de plus en plus aux régimes amaigrissants.

On emploie largement la carnitine au Japon dans le traitement des maladies cardiaques et son utilisation se popularise de plus en plus aux États-Unis. Toute supplémentation en carnitine en augmente la présence au coeur et en améliore l'endurance. Des études démontrent qu'une supplémentation en cet acide aminé réduit considérablement les dommages laissés à la suite d'une chirurgie cardiaque.

Les mordus prétendent que la carnitine protège contre les maladies cardiaques. Elle peut augmenter la vigueur et l'endurance; dans le cadre d'un test, les supplémentés en carnitine, lors d'exercices physiques, gardaient une tension artérielle plus basse et pouvaient s'exercer plus longtemps et plus fort. Elle augmente la force musculaire chez ceux qui souffrent de problèmes neuromusculaires.

Le meilleur lipotrope, ce qui signifie que parmi les diverses substances naturelles connues, elle a démontré prévenir le mieux l'accumulation des graisses dans le foie, le coeur et les muscles du squelette en permettant de les utiliser sous forme d'énergie.

Une étude a démontré qu'une supplémentation de trois grammes par jour avait provoqué une chute du cholestérol sérique et des triglycérides (deux formes de gras dans le sang). Ailleurs, la carnitine a démontré son aptitude à augmenter la présence du cholestérol dit bon, le HDL.

Les tissus cervicaux des mammifères constituent une source importante de carnitine. Des études démontreraient que des diètes de deux grammes par jour ralentissent, de façon notable, la progression de la maladie d'Alzheimer.

La carnitine s'avère un stimulant gastrique.

Elle augmente l'activité lymphocytaire et diminue l'effet immunodépressif (affaissement du système immunitaire) induit par les lipides (gras).

Les principaux signes laissant présager une carence en carnitine s'observent ainsi: la confusion, la douleur cardiaque, la faiblesse musculaire et l'embonpoint.

On croit qu'une carence en carnitine favorise certains types de dystrophie musculaire et on a démontré que ces états induisent des pertes de cet acide aminé par les urines, auquel cas, la supplémentation devient une nécessité.

Une carence sévère en carnitine, bien que relativement rare, s'associe aux faiblesses et aux crampes musculaires après des efforts physiques. Les personnes souffrant de maladies rénales, d'infection grave et de certains autres désordres peuvent développer une déficience en carnitine. Les végétariens manifestent une susceptibilité aux carences en carnitine qui s'explique par leur diète habituellement faible en lysine et en méthionine et aussi par l'absence de cette substance des protéines végétales.

La carnitine renforce l'effet antioxydant des vitamines C et E.

L'ischémie est une réduction de l'oxygène qui parvient au coeur. Cet état s'avère habituellement redevable à une obstruction de l'artère coronarienne. Une telle obstruction provient habituellement de l'artériosclérose ou de spasmes artériels. L'ischémie peut manifester une carence en carnitine.

Plusieurs cas de carence en carnitine ont été reliés, en partie, à une déficience génétique qui nuit à la synthèse de cet acide aminé.

À cause de leur masse musculaire, les hommes ont un besoin plus grand en carnitine que les femmes.

Les tenants de l'alcoolisme comme une manifestation de carences alimentaires multiples préconisent une supplémentation en carnitine et en L-glutamine durant le traitement par suralimentation en nutriments.

Une source — que nous ne pouvons identifier sans autorisation préalable préconise — l'utilisation de la carnitine de concert avec L-cystéine et de la bêta-carotène pour augmenter l'immunité des poumons.

Cette même source préconise l'utilisation de cet acide aminé de concert avec la coenzyme Q-10 (intermédiaire de L-tyrosine) pour le traitement du syndrome de la fatigue chronique (S.F.C.) qui consisterait, en fait, en un désordre du système immunitaire d'origine viral.

Ce qu'on pourrait en attendre

- Désengorgement du foie des matières grasses;

- Prévention de l'engorgement du foie, du coeur et de la musculature;

- Tonification du coeur;

- Vigueur et endurance à l'effort;

- Prévention d'une carence chez ceux qui sont atteints d'une maladie rénale ou d'une infection grave;

- Prévention de l'ischémie;

- Stimulation de l'appétit;

- Renforcement des lymphocytes du système immunitaire;

- Traitement du syndrome de fatigue chronique.

- Immunité des poumons;

- Effet minceur par le métabolisme des graisses;

- Relations sexuelles plus performantes;

- Ralentissement des manifestations de la maladie d'Alzheimer;

- Utilisation rationnelle de l'énergie (gras vs aminoacides);

- Élément de traitement de l'alcoolisme;

- Renforcement des vitamines E et C comme antioxydants.

Sources Naturelles

Viande rouge (boeuf et agneau) et les produits laitiers. Ces produits, néanmoins riches en gras saturés deviennent précurseurs de maladie cardiaque. Une supplémentation en carnitine semble préférable à la consommation de ces produits pour s'approprier les effets recherchés.

Suppléments

La carnitine se présente sous les formes L, D, DL et acétyl-L-carnitine; évitez la forme D-carnitine, car elle peut occasionner des effets indésirables ou secondaires. La forme L-carnitine devrait (doit) être privilégiée.

Capsules de 250 mg.

Supplémentation

Dans une préoccupation de disposer de plus d'énergie physique: 500 à 1000 mg avant les efforts physiques.

Des rations quotidiennes de 1500 mg s'utilisent pour accroître la performance sexuelle.

3 000 mg par jour pour faire baisser le taux de cholestérol.

2 000 mg par jour pour ralentir l'apparition des manifestations de la maladie d'Alzheimer.

1 000 mg par jour avec 2 000 mg de L-glutamine pour le traitement des alcooliques en régime dit de suralimentation.

500 à 1 000 mg par jour pour les autres effets.

Pour la protection des poumons, une supplémentation de base en carnitine, en L-cysteine et en bêta-carotène.

Pour le traitement du syndrome de la fatigue chronique: une supplémentation de base en carnitine et 20 mg de coenzyme Q-10 (ubiquinone cf. L-thyrosine) mélangés à une demi-cuillerée de beurre de sésame ou d'amandes.

Pour un renforcement du coeur ou pour se débarrasser graduellement des traitements aux bêta-bloquants; 1 000 mg de carnitine, 400 mg de Co Q-10 (voir L-thyrosine) et 1 500 mg de magnésium quotidiens avec un peu de gras pour assimiler l'ubiquinone (Co Q-10).

Remarques

1:Certaines personnes consommant 1 000 mg ou plus de carnitine par jour peuvent développer une odeur de poisson. Si ça survient, diminuer la dose quotidienne jusqu'à disparition de cet inconvénient.

2:Évitez de consommer la carnitine sous la forme D-; s'en tenir à la L-carnitine.

Principales sources d'information utilisées:

cf : 1, 2, 3, 4, 5, 6, 7, 8, 9 (En bibliographie, p. 247)

4.7- L-CYSTÉINE

Acide aminé non essentiel au sens utilisé pour les aminoacides. La cystéine s'avère dépendante ou dérivée de la méthionine grâce à la vitamine B-6 et à la cystcéthionase. Étant donné que la cystcéthionase demeure inactive un certain temps après la naissance du nouveau-né, la cystéine se présente donc, selon ce critère, un acide aminé essentiel pour cette première période de l'enfance.

Au cours du métabolisme de L-méthionine, il y a génération d'homocystéine, un résidu de cette réaction chimique. Ce résidu s'avère toxique, mais peut se recycler en cystéine, en présence suffisante de B-6 ou à nouveau en méthionine, en présence de B-9 et de B-12.

La cystéine constitue une des trois principales sources de l'organisme en soufre. Si l'on retient que la cystine est la source externe de la cystéine, la troisième source devient la méthionine. Les carences en soufre sont fréquentes chez les végétariens. Tout comme la méthionine, la cystéine s'utilise pour le traitement ou catabolisme de l'oestrogène des endométrioses et des fibromes utérins et mammaires.

Acide aminé glucoformateur, ce qui signifie qu'il peut se transformer, surtout dans le foie, en glycogène, et constitue ainsi, une réserve-tampon pour préserver l'homéostasie glucidique (l'équilibre en sucre) de l'organisme en voie de synthétiser du glycogène à même ses réserves en graisses. Ceci laisse entendre également qu'une déficience en cet acide aminé peut survenir par suite de l'économie de l'énergie plutôt que par une demande spécifique de cet acide aminé en particulier.

Précurseur de L-cystine et de L-taurine. La cystéine se présente instable et la liaison entre deux de ses molécules constitue une molécule de cystine. La synthèse de la cystéine en cystine s'impose pour les mitoses (mise au monde des cellules nouvelles) et pour la structuration de plusieurs protéines et enzymes, dont la chymotrypsine et l'insuline qui ont besoin que leur chaîne peptidique (d'acides aminés) se tiennent ensemble pour avoir une activité biologique, et ce, grâce aux résidus de l'opération cystéine-cystine. Chaque forme peut se changer en l'autre forme au besoin, cependant, compte tenu du fait que la cystéine se montre plus soluble que L-cystine, elle s'avère plus rapidement disponible aux sites où on la requiert et s'est démontrée d'un meilleur usage pour le traitement de maux ou de carences.

La chymotrypsine figure parmi les enzymes qui constituent le suc pancréatique. Cet enzyme poursuit, dans les intestins, le travail amorcé dans l'estomac par la pepsine; elle hydrolyse (défait) les liens de L-phénylalanine et de L-tyrosine des protéines (la pepsine métabolise les protéines en polypeptides). La chymotrypsine a démontré pouvoir être cause de lithiases (calculs).

Les cheveux et la peau contiennent jusqu'à 15% de cystéine. Déjà signalée comme nécessaire à la formation de la peau et autres tissus comme constituant, et par son rôle dans les mitoses, elle se retrouve, de plus, dans l'alpha-kératine, la protéine-clef des ongles, des cheveux et de la peau; aussi l'utilise-t-on pour la guérison des brûlures et des plaies post-opératoires. Pour les mêmes raisons, elle s'utilise pour le traitement des cheveux. Elle fait partie, en outre, de plusieurs autres protéines structurelles incluant plusieurs enzymes.

Elle s'avère un antioxydant efficace contre les radiations et la pollution, surtout accompagnée de la vitamine C et du sélénium. Les athlètes en milieu urbain pollué l'utilisent, elle, ou la cystine pour contrecarrer ces conditions impropres à leur entraînement. La cystéine constitue une protection contre les rayons ultraviolets, par conséquent, elle prévient les cataractes.

Aide au ralentissement du vieillissement et neutralise toxines et radicaux libres. Elle permet aux membranes cellulaires et à la peau de garder leur souplesse.

Cet acide aminé combiné à L-glycine et L-acide glutamique devient le glutathion. Le glutathion s'avère l'antioxydant le plus abondant dans l'organisme. Sa synthèse s'effectue dans le foie (glutathion sérique) ou à l'intérieur des cellules. Le glutathion sérique ne pénètre pas à l'intérieur des cellules; chaque cellule élabore son antioxydant à partir des constituants. Le glutathion sérique se retrouve surtout présent dans le foie (désintoxication du mercure, cadmium et plomb et neutralisation de carcinogènes) bien qu'il contribue à la protection externe et à la prolifération des globules blancs, et se manifeste dans les poumons (protection externe des globules rouges) et aussi dans les intestins (métabolisme des hydrates de carbone).

À l'intérieur des cellules, les radicaux libres générés par le métabolisme peuvent être neutralisés par des molécules de vitamine-E lesquelles deviennent à leur tour chimiquement actives. Les substances qui ont la propriété de neutraliser l'activité chimique d'une autre substance tout en s'activant elles-mêmes, mais sans devenir dangereuses pour l'organisme toutefois, constituent des antioxydants. La vitamine E peut à son tour se neutraliser ou se régénérer par la vitamine C. La vitamine C, de même, soit par la vitamine A et ses provitamines (les caroténoïdes), soit par l'acide lipoïque ou soit par l'ubiquinone (coenzyme Q-10). Tout antioxydant non régénéré semble biologiquement irrécupérable et s'évacuerait. Le glutathion neutralise la plupart des radicaux libres et peut régénérer les vitamines A,C,E, et autres substances, précédemment citées, dans leur rôle d'antioxydants. L'organisme peut utiliser jusqu'à 3 g de glutathion par jour. Le glutathion peut se régénérer à son tour par le glutathion réductase (enzyme synthétisée à partir du glutathion et du sélénium) et par le NADH (coenzyme Q-1).

L'organisme, avec l'âge, produit de moins en moins de glutathion. Entre 60 et 80 maladies sont attribuables aux radicaux libres. Les personnes présentant un fort taux en glutathion possèdent un taux plus bas en cholestérol, ont une pression sanguine plus basse et ont moins d'embonpoint tout en disant se sentir mieux que les personnes possédant un taux très bas et qui manifestent plus de maladies cardiaques, d'arthrite et de diabète.

Curieusement, une supplémentation en cystéine augmente plus le glutathion physiologique disponible qu'une supplémentation en cystine ou en glutathion lui-même.

En se substituant à L-cystine, elle peut contrecarrer la production excessive d'insuline en participant avec le chrome, la B-3, L-acide glutamique et L- glycine, à la formation du GTF ou facteur de tolérance au glucose. Ce facteur devient important dans la synthèse des glucides en réduisant la sollicitation d'insuline ce qui soulage d'autant le pancréas tout en éliminant certaines manifestations dont les manques d'énergie inopinés qui font penser à une hypoglycémie.

Le diabète augmente les besoins en L-taurine tandis qu'une supplémentation en taurine et en L-cystéine diminue les besoins en insuline.

La cystéine a un effet chélateur, elle élimine de l'organisme les surplus de cuivre tout en facilitant, cependant, l'absorption du fer.

Elle contrecarre la suroxydation des cellules, en particulier celles du foie et du cerveau, provoquée par la transformation de l'alcool ingurgité en acétaldéhyde ainsi que par la fumée de cigarettes et les drogues. Une aide précieuse pour se prémunir des dommages occasionnés par une chimio- ou une radiothérapie.

Le Dr Ryzewki de Varsovie à démontré en 1981 qu'une supplémentation en cystéine permet de traiter l'arthrite rhumatoïde et l'ostéoporose.

On la recommandait pour le traitement des durcissements d'artères. Il semble désormais que cet état soit plutôt provoqué par l'homocystéine, un sous-produit obligé du métabolisme de la méthionine, lequel, non neutralisé, bloque la production du monoxyde d'azote qui empêche les dépôts de plaque à l'intérieur des vaisseaux. La neutralisation de l'homocystéine s'effectue par la B-6 pour donner de la cystéine ou par la B-9 combinée à de la B-12 pour donner à nouveau de la méthionine.

On la recommande aussi pour les désordres dits mutagènes tels les cancers.

Cet acide aminé possède en outre le don de stimuler les gras à se consumer et à se transformer en muscles.

La cystéine manifeste une habileté particulière à défaire le mucus des voies respiratoires. À cause de cette caractéristique, elle s'avère avoir des effets salutaires sur les bronchites, l'emphysème et la tuberculose.

Une source — que je ne peux identifier parce que je n'ai pas pris la peine d'obtenir l'autorisation préalable requise pour la citer —, préconise l'utilisation de la carnitine de concert avec L-cystéine et de la bêta-carotène pour augmenter l'immunité des poumons.

Effets qu'on peut en attendre

- Protection contre certains radicaux libres;
- Protection contre la pollution;
- Protection des poumons;
- Protection contre les rayons ultraviolets;
- Prévention des cataractes causées par les rayonnements UV;
- Approvisionnement en soufre (végétariens);
- Approvisionnement en glutathion:
    - Ralentissement de la sénescence (radicaux libres);
    - Prévention et soulagement:
        - Obésité;
        - Accrochés;
            - Hyperactivité;
            - Alcool;

　　　　　　　　　　　　　- Sucre;
　　　　　　　　　　　　　- Caféine.
　　　　　　　　　- Allergies;
　　　　　　　　　- Arthrite
　　　　　　　　　　(radicaux libres);
　　　　　　　　　- Cancers:
　　　　　　　　　　　　　- Poumons;
　　　　　　　　　　　　　- Peau;
　　　　　　　　　　　　　- Prostate;
　　　　　　　　　　　　　- Vessie.

- Élimination d'endométrioses et de fibromes utérins ou mammaires;
- Approvisionnement en insuline et en chymotrypsine;
- Diminution des besoins en insuline;
- Assimilation du thryptophane et de la tyrosine;
- Peau et cheveux en santé;
- Faciliter la guérison de brûlures ou de plaies postopératoires;
- Ralentissement des manifestations du vieillissement (glutathion?);
- Diminution du besoin d'insuline par le facteur GTF;
- Élimination d'une fatigue de type hypoglycémique;
- Protection du foie et du cerveau d'une toxine (alcool, fumée, drogues);
- Soin de l'arthrite rhumatoïde et de l'ostéoporose (glutathion?);
- Élimination des surplus de cuivre de l'organisme;
- Stimulation du métabolisme des graisses en muscles;
- Inhibition des désordres mutagènes(glutathion?);
- Catabolisant du mucus des voies respiratoires;
- Maintien des cellules dans une ambiance favorable (glutathion?).

Sources naturelles

Le lait (caséine) maternel s'avère plus riche en cystine que le lait de vache (acide aminé essentiel les premières semaines). Consulter la fin du présent volume où des sources de cystine sont énumérées par ordre d'importance. La cystéine, dépendante de L-méthionine, un acide aminé essentiel, en présence de la vitamine B-6 constitue une source naturelle non négligeable.

Suppléments

Comprimés ou capsules de 500 mg.

Supplémentation

La cystéine se prend une heure avant les repas ou sur un estomac vide (deux heures après avoir mangé).

Quel que soit l'effet recherché, les rations demeurent les mêmes : de 500 à 1 000 mg par jour à prendre avec 100 mg de vitamine B-6, le double de la ration de cystéine en vitamine C et 200 mg de magnésium.

La vitamine C et le magnésium permettent de prévenir l'éventualité, déjà peu probable, d'apparition de lithiases.

Pour les cheveux, une combinaison 50/50 de cystine et de cystéine.

Pour les endométrioses et autres tumeurs, on peut combiner de la méthionine avec la cystéine dans un rapport de 2 pour 1; deux parties de méthionine pour une de cystéine. Ne pas oublier la B-6.

Pour la protection des poumons, une supplémentation de base en L-carnitine, en cystéine et en bêta-carotène(vitamine A).

Prévention de cataractes: cystéine, 1 000 mg deux fois par jour, L-taurine, 500 mg deux fois par jour et V-A (5 000 U.I.), C (5 000 mg),P (100 mg) et B-2 (20 mg).

Les personnes souffrant de maladies chroniques n'ont souvent pas suffisamment de vitamine B-6 pour transformer leur méthionine en cystéine et en ont ainsi un plus grand besoin que les doses normales. Aussi devraient-elles se supplémenter à raison de un gramme (1 000 mg), trois fois par jour, pour des périodes ne dépassant pas un mois.

Remarques

Les diabétiques, exclus de la cystéine d'une façon générale (elle peut neutraliser l'insuline) et les personnes prédisposées aux calculs rénaux, à la vessie ou à l'urètre (cystinurie) devraient consulter un médecin avant de consommer de la cystéine.

Principales sources d'information utilisées

cf : 1, 2, 4, 5, 6, 7, 8, 9, 11, 14 (En bibliographie, p. 247)

4.8- L-CYSTINE

Acide aminé non essentiel au sens utilisé pour les aminoacides. La cystine, aminoacide dépendant de L-cystéine; elle provient de deux molécules de cette dernière et en constitue la forme stable. Une source de cystine, autre que celle de la nourriture, réside dans la filière familière: L-méthionine -> homocystéine.+ B-6 -> cystéine + cystéine = cystine. L-cystéine et L-cystine s'interchangent selon les besoins de l'organisme.

Les indications sur L- cystéine, à toute fin pratique, s'appliquent à la cystine; la cystéine moins stable, toutefois, s'utilise de façon plus appréciable comme agent thérapeutique tandis que la cystine se préfère comme supplémentation ou équilibrage de la diète.

Elle constitue pour l'organisme une des trois sources en soufre, la cystéine et la méthionine s'avérant les deux autres.

Acide aminé glucoformateur, elle peut donc se transformer, surtout dans le foie, en glycogène et constitue ainsi une réserve-tampon pour préserver l'homéostasie glucidique (l'équilibre en sucre) de l'organisme en voie de synthétiser du glucose à même ses réserves en graisses. Tel état de fait sous-entend qu'une déficience en cet acide aminé peut survenir par suite de l'économie de l'énergie plutôt que par une demande particulière de cet acide aminé spécifique.

La synthèse de la cystéine en cystine s'avère importante pour les mitoses (mise au monde des cellules nouvelles) et pour la structuration de plusieurs protéines et enzymes, dont la chymotypsine et l'insuline, qui ont besoin que leurs chaînes peptidiques (d'acides aminés) se retiennent ensemble pour permettre leur activité biologique, et ce, grâce aux résidus de l'opération cystéine-cystine.

Les cheveux et la peau contiennent jusqu'à 15% de cystine. Forcément nécessaire à la formation de la peau (constituant et rôle dans les mitoses), la cystine devient incontournable pour la guérison des brûlures et des plaies postopératoires.

Cet acide aminé, proche précurseur de la cystéine devient, combiné à L-glycine et L-acide glutamique, une composante du glutathion. Le glutathion s'avère l'antioxydant le plus abondant dans l'organisme. Sa synthèse s'effectue dans le foie (glutathion sérique) ou à l'intérieur des cellules. Le glutathion sérique ne pénètre pas à l'intérieur des cellules; chaque cellule élabore son antioxydant à partir de constituants. Le glutathion sérique se retrouve surtout présent dans le foie (désintoxication du mercure, cadmium et plomb et neutralisation de carcinogènes) bien qu'il agisse à la protection externe et à la prolifération des globules blancs, dans les poumons (protection externe des globules rouges) et dans les intestins (métabolisme des hydrates de carbone).

À l'intérieur des cellules, les radicaux libres générés par le métabolisme peuvent être neutralisés par des molécules de vitamine-E lesquelles deviennent à leur tour chimiquement actives. Les substances qui ont la propriété de neutraliser l'activité chimique d'une autre substance tout en s'activant elle-même, mais sans devenir dangereuses pour l'organisme toutefois, constituent des antioxydants. La vitamine E peut à son tour se neutraliser ou se régénérer par la vitamine C. La vitamine C, de même, soit par la vitamine A et ses provitamines (les caroténoïdes), soit par l'acide lipoïque ou soit par l'ubiquinone (coenzyme Q-10). Tout antioxydant non régénéré semble biologiquement irrécupérable et s'évacuerait. Le glutathion neutralise la plupart des radicaux libres et peut régénérer les vitamines A,C,E, et autres substances, précédemment citées, dans leur rôle d'antioxydants. L'organisme peut utiliser jusqu'à 3 g de glutathion par jour. Le glutathion peut se régénérer à son tour par le glutathion réductase (enzyme synthétisée à partir du glutathion et du sélénium) et par le NADH (coenzyme Q-1).

L'organisme, avec l'âge, produit de moins en moins de glutathion. Entre 60 et 80 maladies se manifestent attribuables aux radicaux libres. Les personnes présentant un fort taux en glutathion possèdent un taux plus bas en cholestérol, ont une pression sanguine plus basse et ont moins d'embonpoint tout en disant se sentir mieux que les personnes possédant un taux très bas et qui manifestent plus de maladies cardiaques, d'arthrite et de diabète.

Curieusement, une supplémentation en cystéine augmente cependant plus le glutathion physiologique disponible qu'une supplémentation en cystine ou en glutathion lui-même.

La cystine est un antioxydant efficace (filière glutathion?) contre les radiations et la pollution. Les athlètes en milieu urbain pollué utilisent cet acide aminé ou la cystéine pour contrecarrer ces conditions malsaines à leur entraînement. La cystine constitue une protection contre les rayons ultra-violets et prévient les cataractes.

En outre, aide au ralentissement du vieillissement en prévenant, par exemple, l'apparition des taches caractéristiques sur la peau. Permet aux membranes cellulaires de garder leur souplesse.

Elle contrecarre la production excessive d'insuline qui se manifeste comme de l'hypoglycémie, non seulement en facilitant l'assimilation des sucres et de l'amidon, mais également en s'associant au chrome, à la vitamine B-3, à L-acide glutamique et à L-glycine pour la formation de GTF ou facteur de tolérance au glucose. Ce facteur devient important dans la gestion des glucides en réduisant la sollicitation d'insuline; ce qui soulage d'autant le pancréas tout en éliminant certaines manifestations dont les manques d'énergie inopinés qui font croire, encore une fois, à un état hypoglycémique.

Tout comme L-cystéine, elle manifeste un effet chélateur en ce sens qu'elle élimine de l'organisme les surplus de cuivre et facilite, en plus, l'assimilation du fer.

Elle contrecarre la suroxydation des cellules, en particulier celles du foie et du cerveau, provoquée par l'acétaldéhyde provenant de l'alcool, des drogues ou de la fumée de cigarettes.

Cet acide aminé a aussi pour effet de stimuler les gras à se consumer et à se transformer en muscles.

Par ailleurs, il joue un rôle important dans les activités des globules blancs du système immunitaire.

Effets qu'on peut en attendre

- Protection contre les radicaux libres;

- Protection contre la pollution;

- Protection contre les rayons ultra-violets;

- Prévention des cataractes causées par les rayonnements UV;

- Approvisionnement en soufre (végétariens);

- Élimination d'endométrioses et de fibromes utérins ou mammaires;

- Équilibre en insuline et en chymotrypsine;

- Assimilation du thryptophane et de la tyrosine;

- Peau et cheveux en santé;

- Aide à la guérison des brûlures ou des plaies postopératoires;

- Ralentissement des manifestations du vieillissement;

- Inhibition de l'hypoglycémie due à trop d'insuline;

- Neutralisation d'un effet toxique dû à la consommation d'alcool;

- Élimination des surplus de cuivre de l'organisme;

- Catabolisant du mucus des voies respiratoires;

- Maintien des cellules dans une ambiance favorable.

Sources naturelles

Le lait (caséine) maternel s'avère plus riche en cystine que le lait de vache (acide aminé essentiel les premières semaines). Consulter la fin du présent volume où des sources de cystine se retrouvent par ordre d'importance. L-cystéine, devient une source respectable de cystine par la filière méthionine (homo-cystéine + B-6).

Suppléments

Capsules ou comprimés de 500 mg.

Supplémentation

La cystine se prend une heure avant les repas ou sur un estomac vide (deux heures après avoir mangé).

Quel que soit l'effet recherché, les rations demeurent les mêmes: entre 500 g et 1 000 mg par jour à prendre avec 100 mg de vitamine B-6, le double de la ration de cystine en vitamine C et 200 mg de magnésium.

La vitamine C et le magnésium permettent de prévenir l'éventualité, déjà peu probable, d'apparition de lithiases.

Pour les cheveux, une combinaison 50/50 de cystine et de cystéine.

Pour les endométrioses et autres tumeurs, de la méthio-nine peut se combiner avec la cystine dans un rapport de deux pour un; deux méthionines pour une cystine.

Remarques

Les diabétiques, exclus de la cystine d'une façon générale et les personnes prédisposées aux calculs rénaux, à la vessie ou à l'urètre (cystinurie), devraient consulter un médecin avant s'adonner à une supplémentation en cystine.

Principales sources d'information utilisées:

cf : 1, 2, 4, 5, 6, 7, 8, 9, 11(En bibliographie, p. 247)

4.9- L-GLUTAMINE

Acide aminé non essentiel au sens particulier utilisé avec les aminoacides.

La glutamine franchit, non modifiée, la barrière hémato-encéphalique et devient l'acide aminé assimilé en plus grande quantité par le cerveau.

À l'exception du glucose, on la considère le carburant du cerveau. Associée à la vitamine B-6, elle améliore les capacités d'éveil, de mémorisation et de conduction nerveuse. Elle permet même des gains d'intelligence (meilleur Q.I.) chez les attardés mentaux.

La glutamine s'avère le précurseur de L-acide glutamique et toute supplémentation en glutamine augmente la quantité d'acide glutamique au cerveau. La glutamine se manifeste également précurseur du GABA (acide gamma-aminobutyrique).

L-GABA, un neurotransmetteur du système nerveux central, contrecarre l'emballement de l'activité cérébrale en empêchant les neurones de se décharger trop violemment. De concert avec la B-3 et l'inositol, il empêche les messages d'anxiété et de stress de parvenir aux centres moteurs du cerveau en occupant les sites de réception. Le GABA peut s'utiliser comme un calmant tout comme les autres tranquillisants prescrits mais sans la crainte d'un développement de dépendance. Utilisé dans le traitement de l'épilepsie et de l'hypertension; salutaire, par son effet relaxant, aux pulsions sexuelles déprimées; utile, probablement par son rôle dans la sécrétion des hormones sexuelles, au soulagement des prostates enflées et enfin efficace dans le traitement des déficits de l'attention. Un surplus de GABA peut se manifester par une augmentation de l'anxiété, un souffle court, un engourdissement autour de la bouche ou des picotements aux extrémités.

La glutamine, l'acide aspartique et la phénylalanine constituent les trois acides aminés indispensables au bon fonctionnement du cerveau.

La consommation d'alcool pirate les réserves naturelles de GABA. En rétablissant leurs réserves en GABA par supplémentation de glutamine, plusieurs gros consommateurs d'alcool ont pu s'affranchir de cette dépendance. La glutamine a été le premier acide aminé à être utilisé pour traiter l'alcoolisme. Les tenants de l'alcoolisme comme une manifestation de carences alimentaires multiples préconisent une supplémentation en L-carnitine et en glutamine durant le traitement par suralimentation en nutriments. La glutamine se recommande pour les troubles mémoriels dus aux excès d'alcool.

Utilisé comme un stimulant de l'humeur, cet acide aminé contribue à diminuer les envies opiniâtres de sucre chez les sujets dépressifs.

La glutamine a démontré être efficiente pour des états de fatigue, de dépression et d'impuissance. On a appris à l'utiliser avec succès dans le traitement de la schizophrénie et de la sénilité; elle possède des propriétés antidépressives et agit comme un cordial dans les cas de fatigue.

Précurseur des bases puriques et pyrimidiques, la glutamine contribue donc à la synthèse protéique de l'ADN et l'ARN tout en participant à l'équilibre acide-alcalin du corps. En plus, lors de chimiothérapies cancéreuses, elle protège spécifiquement le métabolisme intestinal. Par ailleurs, du fait qu'elle constitue un stimulant du système nerveux et de l'anabolisme musculaire, on la conseille pour la récupération de la mobilité et du poids à la suite d'une opération chirurgicale.

La glutamine a démontré pouvoir aider dans le traitement des ulcères, des gastrites, de l'arthrite, des maladies auto-immunes, de fibromes, de désordres intestinaux, de maladies aux tissus conjonctifs telles la poliomyélite ou la sclérodermie, et des tissus endommagés par suite d'irradiations radiologiques.

Elle se montre l'acide aminé le plus abondant que l'on trouve, à l'état libre, dans les muscles de notre organisme. En vertu de cette caractéristique, la glutamine se maintient disponible pour la synthèse des protéines musculaires et en vertu de cet effet (croissance et maintien de la masse musculaire) non seulement est-elle appréciée par les culturistes, mais on l'utilise également pour éviter la dégénérescence musculaire propre à ceux qui doivent garder le lit d'une façon prolongée ou qui souffrent de maladies telles le cancer ou le sida. Cette dégénérescence musculaire proviendrait du fait que durant les périodes de stress ou à la suite de blessures (incluant les opérations chirurgicales), les muscles déversent leur glutamine dans le sang et les supplémentations contrecarrent ce phénomène.

Bref, une supplémentation en cet acide aminé peut avoir des effets bénéfiques considérables sur des états d'alcoolisme, de désir opiniâtre de sucre, d'habiletés mentales déficientes, d'impuissance sexuelle, de fatigue, d'épilepsie, de sénilité, de schizophrénie, de retard dans le développement, d'ulcères gastriques et d'une préoccupation de maintien en bonnes conditions de l'ensemble du conduit digestif.

Une carence en glutamine a un effet dépresseur sur le système immunitaire (prédisposition à des maladies microbiennes et virales plus virulentes).

<u>Effets qu'on peut en attendre</u>

- Amélioration de la mémoire;

- Amélioration de la vivacité intellectuelle;

- Gains d'intelligence chez les attardés mentaux;

- Aide au sevrage de l'alcoolisme;

- Soulagement de : la fatigue et de la dépression rencontrée chez les alcooliques;

- Soulagement des problèmes reliés à la sénilité;

- Traitement de l'impuissance masculine ou féminine;

- Coup de fouet pour surmonter une fatigue physique;

- Approvisionnement en acide glutamique;

- Approvisionnement en GABA;

- Protection de la vie intestinale et des tissus lors de radio-thérapies;

- Aide au traitement de l'arthrite;

- Récupération à la suite d'une opération chirurgicale;

- Guérison des ulcères et gastrites;

- Aide dans le traitement de maladies aux tissus conjonctifs;

- Répression d'envies opiniâtres de sucre;

- Effet antidépresseur;

- Soulagement de schizophrénie;

- Prévention d'un fléchissement du système immunitaire;

- Prévention de crises d'épilepsie ou de convulsions;

- Élément de traitement de l'alcoolisme;

- Maintien des masses musculaires.

Sources naturelles

Relativement abondante dans les plantes et les viandes, elle se détruit facilement lors de la cuisson. Les épinards et le persil (crus) en constituent de bonnes sources. Le chou cuit à la vapeur, par ailleurs, selon un médecin-auteur américain, peut assurer un approvisionnement satisfaisant.

Suppléments

Capsules de 500 mg.

Supplémentation

La glutamine en poudre (dans les capsules) doit se maintenir au sec sinon elle se dégrade en ammoniaque (toxique) et en acide pyroglutaminique.

La glutamine se prend avant les repas et la ration quotidienne se subdivise en prises qui s'échelonnent dans la journée. La dose quotidienne maximale se situe à 4 grammes.

Pour combattre la fatigue physique et intellectuelle; 1 000 à 1 500 mg par jour.

Pour prévenir les crises d'épilepsie ou de convulsions; 250 mg de glutamine et 250 mg de L-taurine trois fois par jour. Diluer le contenu d'une demi-capsule de glutamine dans un peu d'eau pour obtenir les 250 mg requis par prise.

Pour le traitement d'impuissance: 250 à 500 mg de glutamine avec 250 à 500 mg de L-phénylalanine et 250 à 500 mg de L-tyrosine, à jeun.

2 000 mg de glutamine par jour avec 1 000 mg de L-carnitine pour le traitement des alcooliques en régime dit de suralimentation.

Pour combattre la fatigue et la dépression rencontrées chez les alcooliques; 1 000 à 1 500 mg par jour.

Pour la stimulation des activités mentales et de l'humeur, ajouter une supplémentation de vitamine B-6 (maximum 200 mg par jour sauf les parkingsoniens traités à la levadopa).

Pour de la fatigue, une dépression ou de l'impuissance sexuelle, un auteur préconise 500 à 1 000 mg quotidiennement les deux premières semaines, 1 500 mg les deux semaines suivantes et 2 000 mg après un mois jusqu'à disparition définitive des malaises.

Pour les ulcères gastriques, une généreuse portion de chou cuit à la vapeur, une fois aux deux semaines pourrait s'avérer suffisante.

Pour les autres effets, la quantité personnelle requise reste à découvrir selon une estimation initiale quotidienne de 500 mg quitte à l'augmenter graduellement plutôt que de débuter avec une dose plus forte qu'on devra diminuer par la suite.

Remarques

La supplémentation en glutamine est à proscrire dans les cas d'hyperexcitation et de manie.

Doivent également éviter toute supplémentation en glutamine ceux qui souffrent d'une cirrhose (au foie), de troubles aux reins, du syndrome de Reye ou tout état pouvant occasionner une accumulation d'ammoniaque dans le sang. Pour ces personnes, une supplémentation en glutamine ne peut qu'aggraver leur état.

Bien que les substances diffèrent, une allergie au glutamate de sodium peut coïncider avec une autre à la L-glutamine ou à l'acide L-glutamique; pour cette raison, on suggère une surveillance médicale avant d'entreprendre une première supplémentation en glutamine.

Principales sources d'information utilisées

cf : 1, 2, 4, 5, 6, 7, 8, 15 (En bibliographie, p. 247)

4.10- L-GLYCINE

La glycine, acide aminé non essentiel au sens particulier utilisé pour les aminoacides se dénomme aussi glycocolle, acide aminoacétique et sucre de gélatine. On s'y réfère souvent comme le plus simple des acides aminés.

Cet acide aminé devient précurseur de la sérine moyennant de la vitamine B-9.

Précurseur de la bétaïne et de plusieurs synthèses:

- Bases puriques : bases azotées présentes dans les acides nucléiques ADN et ARN;

- Porphyrines : corps entrant dans la composition de l'hémoglobine;

- Créatine : substance azotée présente dans les muscles, le cerveau et un peu dans le sang, et jouant un grand rôle dans la contraction musculaire;

- Acides biliaires;

- Utilisé par le foie pour éliminer les phénols;

- Conjugué aux acides biliaires pour former des sels;

- Conjugué à L-cystéine et L-acide glutamique pour la formation du glutathion; antioxydant des radicaux libres générés par le stress.

La gélatine, principal constituant des cartilages et des tissus conjonctifs, comprend 8,7 % d'alanine, 25 % de L-glycine, 14,1 % d'hydroxyproline, et 9,5 % de L-proline. Le collagène s'avère, à toute fin pratique, constitué de gélatine laquelle se présente comme le principal constituant des tissus conjonctifs; os, peau, cartilages, tendons, fibres et sang. La vitamine C et le résidu de la synthèse de la lysine doivent également participer à l'élaboration du collagène.

La glycine augmente la sécrétion d'HGH ou hormone de croissance et, à ce titre, contribue au développement de la musculature et s'utilise dans le traitement de la déficience hypophysaire. Non seulement en forte demande en période de croissance, elle retarde, en plus, la dégénérescence des muscles par son apport de créatine supplémentaire.

Dans cet axe, on l'utilise dans les cas de dystrophie musculaire progressive.

Cet acide aminé stimule la sécrétion du glucagon, hormone sécrétée par le pancréas et qui se trouve à avoir une action contraire à celle de l'insuline, autre hormone sécrétée par le pancréas; le glucagon mobilise le glycogène pour qu'il se déverse dans le sang sous forme de glucose. Certains médecins utilisent cette caractéristique pour traiter l'hypoglycémie, particulièrement les hyperinsulinismes associés souvent à des hypoglycémies qui accompagnent les situations de stress.

La glycine contribue avec L-acide glutamique et L-cystéine à la formation (synthèse) du glutathion.

Le glutathion s'avère l'antioxydant le plus abondant dans l'organisme. Sa synthèse s'effectue dans le foie (glutathion sérique) ou à l'intérieur des cellules. Le glutathion sérique ne pénètre pas à l'intérieur des cellules; chaque cellule élabore son antioxydant à partir des constituants. Le glutathion sérique se retrouve surtout dans le foie (désintoxication du mercure, cadmium et plomb et neutralisation de carcinogènes) bien qu'on le relève dans le sang (protection et prolifération des globules blancs, les poumons (protection des globules rouges et les intestins (métabolisme des hydrates de carbone).

À l'intérieur des cellules, les radicaux libres générés par le métabolisme peuvent se neutraliser par des molécules de vitamine E lesquelles deviennent à leur tour chimiquement actives. Les substances qui ont la propriété de neutraliser l'activité chimique d'une autre substance tout en devenant elles-mêmes actives, mais non dangereuses pour l'organisme, constituent des antioxydants. La vitamine E peut, à son tour, se neutraliser ou se régénérer par la vitamine C. La vitamine C de même soit par la vitamine A et ses provitamines (les caroténoïdes), soit par l'acide lipoïque, soit par l'ubiquinone (coenzyme Q-10). Tout antioxydant non régénéré semble biologiquement irrécupérable et s'éliminerait. Le glutathion neutralise la plupart des radicaux libres et peut régérérer les vitamines A,C,E, et autres substances précédemment citées dans leur rôle d'antioxydants. L'organisme peut utiliser jusqu'à 3 g de glutathion par jour. Le glutathion peut se régénérer à son tour par le glutathion réductase (enzyme synthétisée à partir du glutathion et du sélénium) et par le NADH (coenzyme Q-1).

L'organisme, avec l'âge, produit de moins en moins de glutathion. Entre 60 et 80 maladies se manifestent, attribuables aux radicaux libres. Les personnes présentant un fort taux en glutathion possèdent un taux plus bas en cholestérol, ont une pression sanguine plus basse et ont moins d'embonpoint tout en disant se sentir mieux que les personnes possédant un taux très bas et qui manifestent plus de maladies cardiaques, d'arthrite et de diabète.

Le facteur GTF ou facteur de tolérance au glucose joue un rôle important dans le métabolisme des glucides en réduisant la quantité d'insuline impliquée dans ce processus. En éliminant du travail au pancréas, il contribue à préserver cet organe et à diminuer l'utilisation d'insuline. Le GTF se synthétise à partir de chrome, de vitamine B-3, de L-acide glutamique, de L-cystine et de glycine.

Un médecin américain, qui se publie lui-même, recommande la glycine, L-acide glutamique et L-alanine en prises simultanées de concert avec de l'extrait de palmier nain pour intervenir efficacement auprès des prostates enflées (hypertrophiées).

Une supplémentation exagérée en glycine peut déranger l'équilibre en glucose du système et provoquer de la fatigue alors qu'une ration correspondant au besoin induit un supplément d'énergie.

Cet acide aminé, nécessaire au fonctionnement du système nerveux central, calme l'excitabilité des cellules neuromusculaires hyperstimulées en cas de stress excessif et prolongé; y recourir peut éviter l'usage d'anxiolytiques classiques. Des récepteurs spécifiques de glycine sur les neurones lui permettent d'agir comme un neuromédiateur inhibiteur de l'hyperexcitabilité et des tremblements. Son action inhibitrice aide à prévenir les crises d'épilepsie et on l'utilisait dans le traitement d'états maniaco-dépressifs.

Utilisée seule ou avec la tyrosine, la glycine peut faire des miracles dans toute manifestation d'agitation, de colère ou d'agressivité excessive.

La glycine contribue à la synthèse d'acides aminés non essentiels et de plusieurs hormones. Elle aide à l'apport d'oxygène aux mitoses (formation des cellules) en mal d'énergie. Le processus cellulaire effectué dans la moelle épinière pour l'élaboration des globules rouges ne peut se poursuivre normalement, dans les mitochondries, sans l'apport d'acide aminolévulinique. L'acide aminolévulinique s'élabore à partir de glycine, d'acide succinique et de vitamine B-6.

Substance efficace dans les problèmes d'hyperacidité gastrique, de dyspepsies liées à une insuffisance de sécrétions de pepsines et d'acide chlorhydrique; elle figure dans plusieurs formules antiacides gastriques.

Elle s'utilisait également en traitement de certaines «acidémies» (bas PH sanguin), particulièrement celle causée par un déséquilibre en leucine et qui s'accompagne d'une mauvaise odeur dégagée du corps et de l'haleine.

Elle donne de bons résultats dans les cas d'incontinence urinaire.

Effets qu'on peut en attendre

- Peau, cartilages, tendons, os en santé;
- Stimulation de l'hypophyse;
- Approvisionnement en glutathion:
    - Ralentissement de la sénescence (radicaux libres);
    - Prévention et soulagement:
        - Obésité;
        - Accrochés: hyperactivité; alcool; sucre; caféine.
        - Allergies;
        - Arthrite;
        - Cancers: poumons; peau; prostate; vessie.
    - Hormone de croissance plus abondante;
    - Développement de la musculature;
    - Inhibition de la dégénérescence musculaire;
    - Glucagon plus abondant;
    - Soulagement des manifestations attribuées à l'hypoglycémie;
    - Préservation de la santé du pancréas;
    - Retour à la normale d'une prostate hypertrophiée;
    - Préservation de la santé du système nerveux central;
    - Protection contre les effets du stress: radicaux libres; hypoglycémie; cellules neuromusculaires hyperstimulées; tremblements;
    - Tolérance plus élevée au glucose (GTH);
    - Soulagement de surexcitations et de tremblements;

-Prévention des crises d'épilepsie;

-Inhibition de manifestations maniaco-dépressives;

-Élimination de crises d'agitation, de colère ou d'agressivité;

-Vitalisation du système immunitaire (glutathion?);

-Augmentation de la quantité d'hémoglobine;

-Augmentation du volume des globules rouges;

-Prolifération cellulaires(ADN, ARN, mitoses...)

-Dilution de l'acide gastrique;

-Soulagement d'acidémies;

-Soulagement d'incontinence urinaire;

-Soulagements de dyspepsies;

-Élimination d'odeurs associées à un surplus de leucine.

Sources naturelles

Les graines de sésame (1,893 g /100 g), les arachides, les graines de citrouille, les graines de tournesol, le thon, la viande blanche de la dinde et du poulet, les amandes, le boeuf haché, les crevettes, les sardines, le foie de dinde et de boeuf, le homard et le flétan (valeur égale), la viande brune du poulet et de la dinde, le crabe, le foie de canard, les pétoncles, le foie de poulet (1,054 g /100 g). Voir en fin du présent livre pour une liste plus élaborée.

Suppléments

Capsules de 500 mg.

Supplémentation

Dans l'intention d'enrayer des manifestations d'hyper-excitabilité et des tremblements consécutifs à un stress excessif et prolongé; trois à cinq grammes par jour de glycine seule ou associée à un à trois grammes d'inositol.

Pour réprimer les manifestations d'agitation, de colère ou d'agressivité excessive; un à deux grammes par jour de glycine seule ou associée à la même quantité de L-tyrosine.

Le dosage habituel pour les autres effets recherchés est de 500 à 1000 mg par jour. Une dose personnelle peut être empiriquement trouvée, mais en tenant compte de la restriction objet de la remarque 1 qui suit.

Remarques

1-Baisser le dosage utilisé chaque fois que des manifestations inopportunes de fatigue apparaissent.

2-La tyrosine, mentionnée avec la glycine, se déconseille en cas de grossesse, d'hypertension, de crises d'angoisse, de traitement aux IMAO, de phénylcétonurie et de mélanome pigmentaire.

Principales sources d'information utilisées

cf : 1, 2, 4, 5, 6, 7, 8, 9, 10, 11, 14
(En bibliographie, p. 247)

4.11- L-HISTIDINE

Tous les auteurs considèrent l'histidine comme un acide aminé essentiel pour les bébés; essentiel au sens utilisé pour les aminoacides. La majorité des auteurs, bien qu'au moins un auteur soulève une hypothèse contraire, considèrent l'histidine comme un acide aminé non essentiel chez l'enfant et l'adulte. L'histidine figure en neuvième position (la dernière) dans le profil d'assimilation du poupon, bébé âgé de moins de 6 mois.

Acide aminé précurseur de L-acide glutamique, un autre acide aminé, et de l'histamine, moyennant les vitamines B-3 et B-6 pour cette dernière synthèse.

L'histamine s'avère une substance sécrétée par les cellules en réponse immunitaire : en défense contre une substance perçue comme dangereuse.

L'histamine joue un rôle dans l'excitation sexuelle et une supplémentation d'histidine agrémentée de vitamine B-3 et B-6 peut favoriser le fonctionnement général de la sexualité incluant une plus grande satisfaction.

L'histamine constitue, aussi, une substance physiologique qui se retrouve à l'état libre dans les intestins et les basophiles. Basophile désigne l'aire où se fixent les colorants basiques des cellules des macrophages ou phagocytes présents dans la lymphe, le foie, la moelle épinière et les ligaments.

L'histidine et l'histamine ont toutes deux une action de chélation sur certains éléments en présence microscopique dans l'organisme tel le cuivre (les oligo-éléments). La chélation constitue le processus par lequel un minéral s'attache à une molécule protéique pour se véhiculer dans le système circulatoire jusqu'à absorption au niveau cellulaire.

Une carence en histidine provoque un affaiblissement de l'ouïe (rend dur d'oreille) et pourrait contribuer à l'arthrite rhumatoïde.

L'histidine constitue une portion considérable de l'hémoglobine. Cette caractéristique serait l'une des raisons pour laquelle on l'utilise dans les situations d'anémie et pour stimuler la prolifération des globules rouges et blancs.

L'histidine a un effet bénéfique significatif sur la croissance et la réparation des tissus et la guérison des ulcères.

Cet acide aminé se démontre particulièrement bénéfique dans l'entretien de la myéline, la gaine protectrice des conduits nerveux On sait, par ailleurs, que la sclérose en plaques a la caractéristique, en périodes actives, de s'attaquer à cette gaine. Au moins par analogie symbolique, on peut déduire qu'une supplémentation en histidine, durant les périodes de rémission, pourrait permettre de réparer les dommages causés par cette maladie.

L'histidine a un effet calmant sur le système nerveux et stimule les sécrétions gastriques, dont l'acide chlorhydrique, d'où son utilisation pour soulager les états d'hyperacidité, pour faciliter la digestion et pour stimuler l'abondance des sucs gastriques.

Des expériences se déroulaient en 1991 pour vérifier l'hypothèse qui voulait que des suppléments d'histidine diminuent les symptômes allergiques tels rougeurs, obstructions nasales, oedèmes, etc.

L'histidine figure parmi les acides aminés démontrant une action protectrice contre les dommages induits par les radiations.

Un auteur consulté mentionne même que cet acide aminé pourrait contribuer à la prévention contre le sida.

Trop d'histidine dans l'organisme peut induire du stress (tension physique et/ou mentale sans objet ou disproportionnées) pouvant aller à l'anxiété et la schizophrénie. On a décelé des surplus d'histidine chez les schizophrènes.

L-méthionine a la faculté d'abaisser le taux d'histidine.

Ce qu'on peut en attendre:

- Élimination d'une surdité progressive;

- Approvisionnement en L-acide glutamique ou en histamine;

- Élimination de symptômes allergiques intempestifs;

- Aide à l'absorption d'oligo-éléments;

- Élimination des manifestations reliées à l'anémie;

- Stimulation des phagocytes du système immunitaire;

- Enrichissement en globules du système sanguin;

- Élimination des manifestations reliées au rhumatisme arthritique;

- Accélération de la guérison des tissus et des ulcères;

- Stimulation de la sécrétion de sucs gastriques;

- Élimination des manifestations reliées à une mauvaise digestion;

- Soulagement de l'hyperacidité gastrique;

- Facilitation des activités sexuelles;

- Entretien et réparation de la myéline;

Sources naturelles

Les informations générales mentionnent le riz, le blé et le seigle comme sources d'histidine; vous trouverez en fin de volume des sources de ce nutriment classées par ordre d'importance.

Suppléments

Capsules ou comprimés de 500 mg.

Supplémentation

À vous de trouver votre dose personnelle; les seules informations disponibles consistent en un comprimé par jour suggéré par le manufacturier.

Remarques

Les bipolaires ou maniaco-dépressifs ne devraient consommer de l'histidine que pour traiter des symptômes de carence.

Les autres utilisateurs en recherche d'un dosage personnel doivent demeurer attentifs à toute manifestation de stimulation, motivation, élan énergétique, tension ou stress intempestive pouvant laisser présager un surplus d'histamine dans l'organisme. Dès que vous ressentez des bienfaits d'une supplémentation en cette substance, modifiez votre diète plutôt que de continuer à augmenter la dose. L'histidine s'avère une substance sensible aux surdosages; demeurez alertes.

Principales sources d'information utilisées

cf : 1, 2, 3, 4, 5, 6, 7, 8, 9, 11 (En bibliographie, p. 247)

4.12- L-ISOLEUCINE

Acide aminé essentiel au sens particulier utilisé pour les aminoacides. L'isoleucine occupe la première position dans le profil d'assimilation[1] préconisé au chapitre 3.

Acide aminé glucoformateur, l'organisme peut, en situation d'urgence, s'approvisionner en glucose (en énergie) de l'isoleucine en attendant de terminer son travail de métabolisme des graisses en suspension ou de recyclage de celles stockées en périphérie. Cet état de fait sous-entend qu'une déficience en cet acide aminé peut survenir par suite de l'économie de l'énergie plutôt que par une demande spécifique pour cet acide aminé.

Acide aminé également «cétoformateur».

Présente dans le collagène, la substance maîtresse des cartilages et des tendons; l'isoleucine se métabolise dans le tissu des muscles.

L'isoleucine s'avère nécessaire à la formation de l'hémoglobine, un constituant de la pigmentation des globules rouges du sang).

Cet acide aminé régularise le taux de sucre (glycémie) dans le sang et influence, de ce fait, le niveau d'énergie disponible. Une carence en isoleucine induit les symptômes rattachés à l'hypoglycémie.

Les athlètes apprécient l'isoleucine parce qu'elle hausse le niveau d'énergie disponible, augmente l'endurance à l'effort et se manifeste par un apport non négligeable dans la guérison et la reconstitution des tissus musculaires.

L'isoleucine et la leucine se montrent des ingrédients indispensables à la fabrication des composants essentiels à la production d'énergie, à la stimulation du cerveau supérieur et pour se maintenir en état d'alerte.

[1] Profil d'assimilation Imbeau (PAI)

La leucine, la valine et l'isoleucine se distribuent combinées sous forme de chaîne ramifiée, puisqu'un surdosage de l'un par rapport aux deux autres peut comporter plus d'inconvénients que d'avantages.

La consommation d'une combinaison d'isoleucine, de leucine et de valine favorise le métabolisme musculaire, la régénération des tissus et un équilibre favorable en azote.

On s'est aperçu que plusieurs personnes présentant des troubles physiques et mentaux souffraient d'une carence en isoleucine.

La leucinose ou urines à odeur d'érable se présente comme un état causé par un catabolisme (dégradation) anormal au cour duquel l'isoleucine, la leucine et la valine ne sont pas dégradées.

Effets qu'on peut escompter d'une consommation simultanée

- Faciliter la vivacité d'esprit(cerveau supérieur);

- Meilleure coordination musculaire;

- État de calme(émotions sereines);

- Normalisation du taux d'hydrogène;

- Normalisation du taux d'azote;

- Diminution du taux de sucre dans la sang;

- Rehaussement de l'énergie disponible;

- Élimination de manifestations de type hypoglycémique;

- Augmentation de l'endurance à l'effort;

- Guérison accélérée des blessures osseuses, cutanées ou musculaires;

- Cartilages et tendons en santé;

- Globules rouges mieux pigmentés;

- État soutenu d'alerte mentale;

- Régénération et réparation des tissus musculaires;

- Rehaussement du métabolisme musculaire.

Sources naturelles

Toute protéine complète constitue une source d'isoleucine; le taux d'assimilation de cet acide aminé essentiel ne dépend pas de la quantité en présence dans un aliment mais de l'importance relative de l'acide aminé critique.

Suppléments

Capsules dites B.C.A.A.(Branched chain amino acids) combinant l'isoleucine, la leucine et la valine.

Supplémentation

Entre 300 et 400 g d'isoleucine par jour sur un estomac vide avec de l'eau ou du jus; évitez de prendre avec du lait. 50 mg de B-6 et 100 mg de vitamine C peuvent s'ajouter pour favoriser une meilleure assimilation.

Remarques

S'en tenir à consommer les trois substances en chaîne ramifiée. Aucune autre contre-indication sous cette forme.

Principales sources d'information utilisées

cf : 1, 2, 3, 4, 5, 6, 7, 8, 9, 11 (En bibliographie, p. 247)

4.13- L-LEUCINE

Acide aminé essentiel au sens particulier utilisé pour les aminoacides. La leucine qui occupe la deuxième position du profil d'assimilation préconisé au chapitre 3.

La leucine diminue le taux de sucre dans le sang. Cet acide aminé favorise la guérison des os, de la peau et des muscles. La leucine est recommandée à ceux qui relèvent d'une opération chirurgicale. Elle permet, de plus, d'augmenter la production de l'hormone de croissance.

Cet acide aminé électriquement neutre influence, à la barrière hémato-encéphalique, le passage des acides aminés ayant une charge électrique; les acides aminés traversent cette barrière à l'aide de deux navettes (transporteurs) sensibles à L-alaline et à la leucine.

La leucine se consomme avec modération au risque de voir apparaître l'hypoglycémie. La surconsommation de cette substance peut induire l'apparition de la pellagre (carence en B-3; lésions cutanées avec troubles digestifs et nerveux) et augmenter la présence d'ammoniaque (toxique si non éliminé).

La leucine et l'isoleucine s'avèrent des ingrédients indispensables à la fabrication des composants essentiels à la production d'énergie, à la stimulation du cerveau supérieur et pour se maintenir en état d'alerte.

La leucine, la valine et l'isoleucine se distribuent combinées, en chaîne ramifiée, puisqu'un surdosage de l'une par rapport aux deux autres peut comporter plus d'inconvénients que d'avantages.

La consommation d'une combinaison de leucine, d'isoleucine et de valine favorise le métabolisme musculaire, la régénération des tissus et un équilibre favorable en azote.

La leucinose ou urines à l'odeur d'érable constitue un état causé par un catabolisme (dégradation par la digestion) anormal au cours duquel la leucine, la valine et l'isoleucine ne sont pas dégradées

Effets qu'on peut escompter d'une consommation simultanée

- Faciliter la vivacité d'esprit (cerveau supérieur);
- Meilleure coordination musculaire;
- État de calme (émotions sereines);
- Normalisation du taux d'hydrogène;
- Normalisation du taux d'azote;
- Baisse du taux de sucre dans le sang;
  - Rehaussement de l'énergie disponible;
  - Élimination de manifestations de type hypoglycémique;
  - Augmentation de l'endurance à l'effort;
- Guérison accélérée des blessures osseuses, cutanées ou musculaires;
- Cartilages et tendons en santé;
- Globules rouges mieux pigmentés;
- État soutenu d'alerte mentale;
- Régénération et réparation des tissus musculaires;
- Rehaussement du métabolisme musculaire.

Sources naturelles

Toute protéine complète constitue une source d'isoleucine; le taux d'assimilation de cet acide aminé essentiel ne dépend pas de la quantité en présence dans un aliment mais de l'importance relative de l'acide aminé critique.

Garder à l'esprit, si vous utilisez des suppléments, de l'importance d'une consommation combinée et équilibrée entre l'isoleucine, la valine et la leucine pour éviter les manifestations fâcheuses possibles.

Suppléments

Capsules dites BCAA (Branched chain amino acids), combinaison de leucine, isoleucine et valine.

Supplémentation

500 mg de leucine par jour sur un estomac vide avec de l'eau ou du jus; évitez de prendre avec du lait. 50 mg de B-6 et 100 mg de vitamine C peuvent s'ajouter pour favoriser une meilleure assimilation.

Remarques

S'en tenir à consommer les trois substances simultanément. Aucune autre contre-indication.

Principales sources d'information utilisées

cf : 1, 2, 3, 4, 5, 6, 7, 8, 9, 11 (En bibliographie, p. 247)

4.14- L-LYSINE

Acide aminé essentiel, essentiel ayant bien sûr la signification particulière rattachée aux aminoacides. La lysine occupe la quatrième position dans le profil d'assimilation proposé dans le présent livre.

En plus de constituer un acide aminé essentiel, ce nutriment porte le qualificatif critique auprès des nutritionnistes qui en vérifient la présence dans la nourriture avec celle du L-tryptophane et de L-méthionine pour présumer l'existence des autres acides aminés essentiels.

La lysine se montre essentielle pour une croissance normale et le développement de l'ossature de l'enfant.

La lysine est indispensable dans l'élaboration, par notre organisme, de protéines critiques sous forme d'anticorps, d'hormones et d'enzymes. On se souviendra que les anticorps constituent les éléments-clefs du système immunitaire, les hormones du système endocrinien et les enzymes du métabolisme; le métabolisme étant l'activité chimique de la vie elle-même.

Cet acide aminé, nécessaire à la croissance et à la réparation des tissus organiques, facilite la formation du collagène, composant des cartilages, muscles et tendons, et en vertu de son rôle dans la formation de la protéine des muscles, elle se montre particulièrement importante pour ceux qui relèvent d'une opération chirurgicale ou qui récupèrent d'une blessure sportive ou de travail. En combinaison avec L-arginine et L-ornithine, elle favorise le rôle de ces derniers dans la stimulation de l'hormone de croissance (HGH), normalement absente chez les adultes et qui transforme les graisses en muscles.

Elle préside à une absorption adéquate du calcium et contribue à garder un taux équilibré d'azote dans le sang des adultes.

La lysine de concert avec L-méthionine constituent le précurseur de L-carnitine, un acide aminé, évidemment non essentiel.

Des études récentes ont démontré que cet acide aminé pouvait neutraliser les manifestations de l'herpès en favorisant un équilibre de nutriments qui inhibe la prolifération de ce virus; elle s'utilise également, au même titre, pour le traitement des boutons de fièvre et des éruptions cutanées annonciatrices de stress.

Cet acide aminé abaisse les taux élevés de triglycérides dans le sang et le Dr Linus Pauling (deux fois lauréat d'un Nobel) préconise son utilisation pour prévenir l'agglutinement du L.D.L. (mauvais cholestérol) aux parois artérielles (artériosclérose).

La lysine et L-tryptophane s'avèrent les deux acides aminés critiques du blé et du maïs. Les noix et les graines ont en général la lysine comme acide aminé critique. Les végétariens stricts seraient (?) des candidats à une carence en lysine. Une déficience en lysine peut entraîner une moindre résistance aux infections puisqu'elle participe à la formation des anticorps.

Des pertes d'énergie ou fatigues fréquentes, des difficultés de concentration, de l'irritabilité, une perte d'appétit, une tendance à avoir des rougeurs aux yeux, des nausées, des vertiges, une perte de poids sans raison apparente, une perte de cheveux, de l'anémie, un retard dans la croissance et certains problèmes reliés à la fertilité constituent autant de signes d'une possible carence en lysine.

Les personnes agées, particulièrement les hommes ont plus besoin de lysine que les adultes plus jeunes (ce qui implique un profil d'assimilation différent pour cette catégorie de consommateurs).

Effets qu'on pourrait en attendre

- Réduction de la fréquence et de la durée des crises d'herpès;
- Élimination des boutons de fièvre;
- Traitement des éruptions cutanées dues au stress;
- Élimination d'une manifestation de carence:

    -Fatigues fréquentes sans justification apparente;

    -Manque d'énergie

    -Manque d'appétit;

    -Irritabilité;

    -Difficultés de concentration;

    -Rougeurs aux yeux;

    -Perte de poids inopinée;

    -Nausées;

    -Désordre enzymatique;

    -Vertiges;

    -Perte de cheveux;

    -Anémie;

    -Problème atypique d'infertilité (fertilité, puissance);

    -Retard dans la croissance d'un enfant;

    -Frêle ossature en développement;

- Utilisation des acides gras dans la production d'énergie;
- Aide à l'assimilation du calcium;
- Aide à la formation de collagène et de fibres élastiques;
- Stimulation des systèmes endocrinien et immunitaire;
- Récupération d'une chirurgie ou d'une blessure;
- Prévention de l'artériosclérose;
- Augmente l'effet minceur induit par L-arginine et L-ornithine;
- Acidité du sang (azote).

Sources naturelles

En présence d'un acide aminé essentiel, la quantité assimilée dépend de l'acide aminé critique plutôt que de son abondance dans la protéine.

Suppléments

Capsules de 500 mg.

Supplémentation

Dans une préoccupation reliée aux crises d'herpès, on préconise une ration de un à six grammes par jour, en plusieurs prises, sur un estomac vide (deux heures après un repas) jusqu'à cicatrisation puis en 500 mg par jour comme dose d'entretien. Consommer beaucoup d'aliments riches en protéines. Une supplémentation de 1000 mg de vitamine C avec bioflavonoïdes (vitamine P) le matin et le soir compléterait bien une supplémentation en lysine reliée à l'herpès. Une supplémentation en vitamine C ne se recommande cependant pas aux cancéreux sous radio ou chimiothérapie.

Ceux qui souffrent du virus de l'herpès auraient avantage à diminuer les aliments riches en L-arginine (noix, chocolat) acide aminé qui stimule l'activité de ce virus.

Dans une préoccupation de stimulation de la production de collagène et de fibres élastiques, des rations de 500 à 1 500 mg par jour de lysine et de L-proline; la lysine se prend comme indiqué au paragraphe précédent et la proline en même temps que la lysine.

La recette du Dr Pauling pour prévenir l'agglutinement du L.D.L.mentionne 5 g de L-lysine accompagnés de Vitamine C (la source n'indique pas de dose pour cette dernière substance, mais on sait par ailleurs que la généralisation des méga doses en vitamine C provient de ce lauréat de deux prix Nobel); 3 g ?

Dans une préoccupation d'élimination d'un des signaux de carence et les autres effets possibles recherchés, une dose quotidienne de 500 mg pourrait se révéler suffisante.

Remarques

Les supplémentations en lysine peuvent aggraver des états d'artériosclérose, d'hypercholestérolémie ou d'hypertriglycéridémie; en langage clair, ceux qui souffrent d'artériosclérose, ou qui ont des surplus (un problème) de cholestérol ou de triglycérides, risquent d'aggraver leur état. Vérifiez donc avec votre médecin, (s'il s'y connait) à ce sujet, avant de considérer vous supplémenter en lysine.

Pas d'effets secondaires ni d'autres restrictions particulières de rattachées à cet acide aminé.

Principales sources d'information utilisées

cf : 1, 2, 5, 6, 7, 8, 9, 11, 13 (En bibliographie, p.247)

4.16- L-MÉTHIONINE

Acide aminé essentiel et un des membres des aminoacides critiques avec L-lysine et L-tryptophane. Ces acides aminés se dénomment critiques dans le sens particulier où certains nutritionnistes utilisent leur présence dans la nourriture comme critère pour présumer de celle des cinq autres acides aminés essentiels. Le nombre figurant en quatrième position au profil d'assimilation préconisé dans le présent livre représente la méthionine.

Précurseur de L-cystéine et de L-carnitine; la cystéine, à son tour, précurseur de L-cystine.

L'homocystéine est un sous-produit toxique émanant du métabolisme de la méthionine. L'organisme neutralise l'homocystéine en la modifiant à nouveau en méthionine en présence de suffisamment de B-9 et de B-12 ou en cystéine moyennant de la B-6. L'homocystéine, non neutralisée par suite de carence en l'une des trois vitamines B, s'épanche des cellules dans le circuit sanguin et stimule le développement de l'artériosclérose en empêchant l'élaboration de l'hormone dite «facteur relaxant dérivé de l'épithélium» ou FRDE (EDRF en anglais) qui ne serait en fait que du NO (monoxyde d'azote). Le FRDE représente la meilleure arme de l'organisme contre l'artériosclérose. L'homocystéine, en outre, stimule la prolifération des cellules endommagées qui fournissent un siège à l'artériosclérose. Elle épaissit le sang et devient un danger d'attaque cardiaque. Elle favorise, en outre, la transformation du cholestérol LDL en radicaux libres, lesquels constituent, en fait, les causes directes de l'artériosclérose.

La méthionine constitue l'une des trois sources de soufre pour l'organisme, les autres étant L-cystéine et L-cystine. La fonction antioxydante de la méthionine repose sur le soufre qu'elle contient, lequel, neutralise les radicaux libres.

La méthionine assure, de plus, une protection contre les rayons ultraviolets (les rayons dits UV.) et diminue en conséquence les risques de cataractes aux yeux.

La méthionine, fournisseur majeur de soufre, prévient les problèmes aux cheveux (fragilité), à la peau et aux ongles; elle influence, en plus, la folliculine du cheveu et en assure la croissance.

Elle participe à la synthèse des protéines et son métabolisme se fait en présence de l'acide folique, la vitamine B-9.

Ayant un pouvoir chélateur, elle facilite la digestion et se combine aux métaux lourds tels le plomb, le mercure et les surplus de cuivre pour les éliminer du corps. Trop de cuivre dans l'organisme peut dénoter la présence de la maladie de Wilson.

Par ses qualités désintoxicantes, la méthionine favorise la lutte contre la dépression, l'hypertension, les troubles rénaux et du comportement.

Les schizophrènes présentent habituellement un taux anormalement élevé d'histamine dans le sang, et les taux élevés d'histamine peuvent induire le cerveau à relayer de mauvais messages. La méthionine possède la propriété de diminuer le taux d'histamine dans l'organisme aussi l'utilise-t-on pour traiter les manifestations schizoïdes.

Comme lipotrope, elle prévient l'accumulation de graisses dans le foie et les artères, en facilite l'élimination et favorise ainsi la circulation au cerveau et au coeur tout en protégeant les reins.

Elle régularise la formation d'ammoniaque et permet ainsi des urines débarrassées de cette toxine; ce qui permet d'éviter l'irritation de la vessie.

Acide aminé reconnu comme protecteur du foie, il s'utilise contre la sténose; dégénérescence graisseuse due à l'accumulation de triglycérides dans le cytoplasme des cellules. Cette accumulation dans le cytoplasme des cellules du foie peut provenir d'une ingestion de trop de gras, de trop de glucides ou de trop d'alcool. Les sténoses chroniques relèvent soit du diabète, soit de l'alcool.

La méthionine constitue une source de «méthyls» pour l'organisme et agit comme précurseur de la bétaïne, de la créatine, de la choline et de l'adrénaline:

- Créatine: substance azotée présente dans les muscles, dans le cerveau et dans le sang, en faible quantité toutefois. Joue un rôle important dans la contraction musculaire;

- Choline; substance azotée, faisant partie du groupe des vitamines B, présente sous la forme d'acéthyl-choline, substance très importante dans le fonctionnement du système nerveux et, à l'état libre, a un rôle protecteur des cellules hépatiques;

- Adrénaline: hormone des surrénales et hormone des coups de fouet.

La méthionine participe à la synthèse de la phosphatidyl-choline qui joue un rôle crucial dans le maintien de la fluidité de la membrane cellulaire. Elle a, de plus, un effet salutaire sur les faiblesses musculaires.

S'utilise dans le traitement de sinusites; elle donne de bons résultats dans des manifestations de sensibilité allergène à des substances chimiques. Donne également de bons résultats dans des problèmes d'ostéoporose.

Combinée à la choline et à l'acide folique (vitamine B-9) la méthionine a démontré protéger contre les endométrioses et les fibromes utérins et mammaires en activant le catabolisme hépatique des oestrogènes par l'administration d'acide aminé soufré.

Constitue un des composants, avec L-arginine et L-ornithine, d'un cocktail utilisé contre les troubles de la mémoire.

Une déficience en méthionine peut compromettre la capacité de l'organisme de se défaire de son urine, ce qui provoque des oedèmes ou enflures dues à la rétention de liquides dans les tissus ainsi qu'une prédisposition aux infections.

Cet acide aminé permet la baisse du cholestérol en stimulant le foie à produire de la lécithine.

Chez les animaux en laboratoire, une déficience en méthionine a été reliée à des dépôts de cholestérol, à de l'artériosclérose et à des pertes de poils (l'équivalent des cheveux chez les humains).

On considère la méthionine comme un traitement important pour une fièvre rhumatoïde ou pour une toxémie (empoisonnement) reliée à un état de grossesse.

Les personnes âgées, ont plus besoin de méthionine que les adultes plus jeunes (ce qui implique un profil d'assimilation différent pour cette catégorie de consommateurs).

Effets qu'on pourrait en attendre

- Désengorgement du foie et protection des reins;
- Élimination des triglycérides du cytoplasme des cellules des tissus;
- Désintoxication de métaux lourds;
- Élimination des suites d'intoxication à un métal lourd:
    -Dépression;
    -Hypertension;
    -Troubles rénaux ou de comportement;
- Traitement de fièvre rhumatoïde ou d'une toxémie reliée à une grossesse;

- Soulagement des sténoses;
- Atténuation de l'ostéoporose;
- Élimination des endométrioses et des fibromes utérins ou mammaires;
- Élimination d'une faiblesse musculaire;
- Prévention de la maladie de Wilson;
- Régularisation du taux d'histamine et traitement de la schizophrénie;
- Maintien de la fluidité des membranes cellulaires;
- Soulagement de sinusites et de sensibilités allergènes;
- Équilibrage de diète pour les végétariens stricts;
- Prévention d'irritation de la vessie;
- Santé des cheveux, des ongles et de la peau;
- Stimulation de la croissance des cheveux;
- Baisse du cholestérol et meilleure circulation au cerveau et au coeur;
- Prévention et soulagement de rétentions tissulaires (oedèmes, enflures);
- Prévention d'une prédisposition aux infections;
- Prévention probable d'artériosclérose .

Sources naturelles

Puisqu'il s'agit d'un acide aminé essentiel, la quantité retirée de la nourriture dépend non pas de la richesse de la présence dans la protéine mais de l'acide aminé critique.

Suppléments

Capsules de 500 mg.

Supplémentation

La méthionine se consomme avec un repas. Du fait que l'organisme synthétise, pour nourrir le cerveau, la choline de la méthionine, on peut compléter sa supplémentation planifiée avec une ration de choline (250 mg) ou de lécithine (riche en choline). Par ailleurs, compte tenu des effets de l'homocystéine non neutralisée, compléter ses prises en B-6 sinon en B-9 et en B-12 concurremment à une supplémentation en méthionine semble judicieux.

Dans une recherche d'éradication d'une tumeur: deux grammes/jour

Dans une recherche d'équilibrage de diète: 1 000 à 1 500 mg/jour.

Dans une démarche de prévention: 500 mg par jour.

Pour les troubles de la mémoire, la recette du cocktail fait mention de 500 mg de méthionine, 500 de L-arginine et 250 de L-ornithine.

Pour les autres effets, les doses personnelles appropriées demeurent à découvrir.

Remarques

Pas de développement de dépendance.

Aucune contre-indication connue sauf que des rations à 20 grammes ou plus par jour peuvent aggraver les manifestations schizoïdes d'un schizophrène.

Nous prenons l'initiative (aucun auteur consulté ne le préconise) de rendre impérative une supplémentation en B-6 ou en B-9 et B-12 pour ceux qui font déjà de l'artériosclérose ou de l'athérosclérose et qui (ils devraient ce faire de toute façon) se supplémentent en méthionine.

Principales sources d'information utilisées

cf : 1, 2, 3, 4, 5, 6, 7, 8, 9, 11 (En bibliographie, p. 247)

4.17- L-ORNITHINE

Acide aminé non essentiel au sens utilisé pour les aminoacides.

Les acides aminés se retrouvent normalement dans les protéines que nous consommons; l'ornithine et L-citrulline font exception à cette règle; ces deux substances s'élaborent dans le foie des mammifères lors de la production de l'urée à partir de l'ammoniaque qui provient du catabolisme (digestion) des protéines.

Nous n'avons pas retenu l'acide aminé citrulline malgré ses effets bénéfiques tout comme la majorité des auteurs cités en fin du présent texte. L-citrulline combinée à L-acide aspartique, un autre acide aminé, constitue un précurseur de L-arginine, lui-même précurseur de l'ornithine.

L'ornithine fait donc partie du cycle de l'urée et à ce titre, elle désintoxique l'organisme de l'ammoniaque. Pour ce faire, elle a besoin de L-arginine pour se transformer éventuellement, à nouveau, en L-arginine en passant par L-citrulline comme substance intermédiaire. En conséquence, il s'ensuit que les besoins de l'organisme en L-arginine peuvent être comblés par une quantité deux fois moindre d'ornithine.

Intermédiaire de L-arginine, elle s'avère précurseur de L-proline et de L-acide glutamique.

L'ornithine, par son influence sur L-arginine, se trouve à faciliter la sécrétion de l'hormone de croissance (HGH). Cette dernière, normalement absente chez les adultes, métabolise les graisses en muscles. L-lysine et L-carnitine exercent une influence dans les activités de l'hormone de croissance.

L'ornithine aide l'insuline dans son rôle anabolisant; dans son rôle dans la croissance musculaire. L'ornithine stimule les synthèses protéiques et permet ainsi une épargne de bicarbonate tout en permettant de régulariser l'acidose (un surplus d'acide dans l'organisme).

L'ornithine intervient dans le fonctionnement du système immunitaire et du foie. Elle se maintient habituellement en forte concentration dans les tissus conjonctifs et facilite la réparation et la guérison des tissus endommagés.

Cet acide aminé possède en surplus des propriétés stimulantes, antifatigues et antidépressives.

Effets qu'on peut en attendre

-Les effets attribués à l'hormone de croissance:

    -Métabolisme des graisses (effet minceur);

    -Augmentation de l'énergie disponible;

    -Masse et tonus musculaires stimulés;

    -Ligaments et tendons en santé

-Système immunitaire stimulé;

-Vitesse de cicatrisation augmentée;

-Niveau d'urée abaissé dans le sang et les urines;

-Croissance musculaire par l'insuline;

-Participation à:

    -Reculer certaines manifestations reliées à la vieillesse;

    -Affaissement musculaire;

    -Raideurs aux articulations;

    -Système immunitaire amoindri;

    -Améliorer la mémoire;

-Source d'arginine pour ceux qui souffrent d'herpès;

-Stimulant à la santé du foie;

-Régulariser l'acidose de l'organisme;

-Stimulant;

-Effet antidépressif ou antifatigue.

Sources naturelles

Ne se retrouve pas dans les protéines habituelles de l'alimentation. S'élabore dans le foie des mammifères.

Suppléments

Capsules de 500 mg. Disponible aussi en capsules dosées à 250 mg d'ornithine avec 500 mg d'arginine.

Supplémentation

L'ornithine se consomme avec de l'eau, sans protéines, sur un estomac vide soit au lever mais préférablement au coucher.

Dans une recherche de renforcement du système immunitaire, de vitesse de cicatrisation ou de croissance musculaire, 500 mg par jour.

Entre 500 et 1000 mg par jour dans une recherche d'un effet stimulant, antifatigue ou antidépressif.

Dans une recherche de l'effet minceur, de gain d'énergie (filière hormone de croissance): 1 000 mg ou 1 g par jour (pouvant aller jusqu'à trois). Les culturistes et les sportifs engagés dans un programme de développement musculaire prendront leur ornithine une heure avant le début de leur entraînement.

Dans une recherche de neutralisation des manifestations de la sénilité ou de gain de mémoire, la recette du Dr Pfeiffer, sommité dans ce domaine, reste à trouver. La recette que nous suggérons comprend 250 mg d'ornithine, 500 mg de L-arginine et 350 mg de L-méthionine à prendre selon les mêmes modalités que celles prévues pour l'ornithine.

Dans une recherche de supplémentation en L-arginine; prendre, en ornithine, la moitié de la dose prévue en arginine.

Remarques

1:Ceux qui souffrent de l'herpès ne peuvent consommer d'arginine, mais peuvent pourvoir à leur besoin en prenant, en ornithine, la moitié de la ration prévue en L-arginine.

2:La supplémentation en ornithine est déconseillée aux états suivants:

- Grossesse et allaitement;

- Personnes dont la croissance n'est pas terminée (gigantisme);

- Une histoire possédant une épisode de schizophrénie à moins d'un avis contraire à cet effet émanant d'un médecin.

- Diabète.

3:Ne pas consommer de ration quotidienne supérieure à l'équivalent de cinq grammes d'ornithine; le risque de déformation osseuse devient trop élevé.

Principales sources d'information utilisées

cf : 1, 2, 3, 5, 6, 8, 9, 13 (En bibliographie, p. 247)

4.18- DL-PHÉNYLALANINE

L-phénylalanine désigne la forme lévrogyre de la phénylalanine présente dans les protéines complètes. Il s'agit d'un acide aminé essentiel.

D-phénylalanine ou D-PA représente un acide aminé non essentiel qui ne figure pas parmi la liste des 16 autres puisqu'il s'agit d'une substance artificielle. Pour la même raison, il s'avère un acide aminé non protéique puisqu'il ne se trouve, probablement, dans aucune protéine naturelle. La D-PA a des effets thérapeutiques et ne se trouve sur le marché que dans des mélanges en parties égales avec la L-PA. Ainsi, on peut se procurer de la L-phénylalanine ou de la DL-phénylalanine.

En produisant des hormones actives du genre morphine appelées endorphines (ou endorphènes), la DL-phénylalanine ou DL-PA augmente et prolonge l'arsenal des défenses naturelles du corps aux douleurs provoquées par les blessures, les accidents et les maladies. Certains enzymes dans notre organisme détruisent les endorphines sur une base continue; la DL-PA inhibe (neutralise les effets de) ces enzymes et permet aux endorphines de faire leur travail. Selon Earl Mindell, plusieurs personnes sans résultats avec des anti-douleurs tels l'empirine et la codéine ont bien répondu à la DL-phénylalanine.

Les personnes qui souffrent de douleurs chroniques ont un très bas niveau d'endorphines actives dans leur sang et dans leur liquide encéphalo-rachidien. Comme la DL-PA peut rétablir le niveau normal d'endorphines, elle peut ainsi aider l'organisme à réduire les douleurs naturellement, c'est-à-dire, sans le recours à des médicaments. Bien plus, parce que la DL-phénylalanine peut neutraliser sélectivement la douleur, elle peut vraiment alléger l'inconfort chronique sur une longue période et ainsi libérer les mécanismes de défense naturels du corps pour parer aux douleurs aiguës et immédiates telles celles suite à des brûlures ou à des coupures qui, autrement, ne seraient pas atténuées.

La DL-PA se manifeste souvent aussi performante sinon plus que la morphine et autres opiacés bien qu'elle diffère des médicaments sous prescription ou en vente libre en ce que:

- Elle n'induit pas de dépendance;

- Le soulagement de la douleur augmente avec le temps sans induire de tolérance;

- Elle possède un puissant effet antidépresseur;

- Elle peut apporter un soulagement de la douleur, d'une façon continue, sans consommation supplémentaire durant jusqu'à un mois;

- Constitue un nutriment sans toxicité connue;

- Elle peut, compte tenu des limites mentionnées en fin du présent texte, se combiner à tout traitement médicamenteux ou toute thérapie contre la douleur pour en augmenter les effets sans apparition de malaises ou d'effets secondaires.

Des malades atteints d'arthrite rhumatoïde, d'ostéoarthrite, de migraines, de douleurs post-opératoires ont vu leur douleur disparaître ou diminuer très sensiblement grâce à la phénylalanine.

La DL-PA constitue aussi un antidépresseur naturel. Elle agit au niveau cérébral en augmentant la sécrétion de phényléthylamine et de noradrénaline (une diminution de ces deux substances provoque des dépressions). Des suppléments de DL-PA sont, dans de nombreux cas, venus à bout d'états dépressifs qui résistaient aux médications traditionnelles et ce sans effets secondaires! Mieux, la plupart des malades traités ont pu diminuer leur ration de DL-phénylalanine voire abandonner la consommation dès l'amélioration constatée sans pour autant voir les malaises réapparaître.

Une amélioration des capacités cérébrales; mémorisation et vivacité d'esprit combinée souvent à une augmentation de la libido se manifeste chez les personnes qui prennent des suppléments de DL-PA.

La DL-phénylalanine s'utilise dans le sevrage de tout genre de drogue.

Elle s'avère une aide précieuse pour soulager les malaises reliés au syndrome menstruel ainsi que les personnes atteintes de la maladie de Parkingson.

Effets qu'on pourrait en attendre

- Moyen efficace contre la dépression;

- Amélioration de la mémoire et des capacités mentales;

- Diminution de la sensation d'appétit;

- Diminution de la sensation de douleur reliée à:

      -Coups (chocs);

      -Ostéoarthrite;

      -Arthrite rhumatoïde;

      -Douleurs lombaires (bas du dos);

      -Crampes musculaires;

      -Douleurs post-opératoires;

      -Névralgies;

      -Soulagement des syndromes prémenstruels;

      -Support aux personnes atteintes de la maladie de Parkingson;

- Aide dans la désintoxication d'alcool et de drogues.

Sources naturelles

Aucune

Suppléments

Capsules de 400 ou 500 mg

Supplémentation

Earl Mindell dans sa bible sur les vitamines, suggère fortement aux personnes en recherche d'un remontant d'accorder un chance honnête à ce stimulant naturel de faire ses preuves avant d'avoir recours à des remèdes sous prescription ou autres formules sur le marché de la consommation.

Quand la ration quotidienne comprend plus d'une gélule, on étale les prises dans la journée.

La phénylalanine se prend seule avec du jus ou de l'eau.

Si vous faites déjà de l'hypertension, avant de consommer de la phénylalanine, utilisez les moyens appropriés pour garder votre tension sous surveillance particulière; au moindre signe d'aggravation de votre état attribuable à cette supplémentation, prenez vos doses plutôt après les repas ou baissez votre ration quotidienne sinon la phénylalanine n'est pas pour vous actuellement. Dans ce dernier cas, vous pouvez être «sursensibilisé» à cet acide aminé et pourriez alors envisager modifier votre alimentation pour vous permettre d'avoir une tension plus normale.

Les rations quotidiennes au-delà de 2 000 mg ou deux grammes peuvent induire de l'insomnie, de l'irritabilité et/ou de l'hypertension; dans ces cas, prenez vos doses après les repas ou diminuez la ration.

En tout état de cause, 10 à 15 % des personnes s'avèrent ne pas réagir aux vertus de la phénylalanine et même un certain délai, entre quatre et vingt jours, est requis avant que les effets attendus ne se manifestent. En conséquence, deux approches à la consommation de cet acide aminé se préconisent: l'approche-cible et l'approche graduelle.

L'approche-cible préconise de fortes doses dès le départ; des adaptations si des effets secondaires surviennent dans l'intervalle, sinon le maintien de ce régime jusqu'à l'apparition des effets recherchés.

A la disparition des malaises, diminuer la ration quotidienne d'une capsule et ce par paliers d'une semaine. À la réapparition des malaises, augmenter la ration quotidienne ainsi atteinte d'une capsule; cette nouvelle ration constitue probablement votre dose d'entretien.

Selon ce régime, si après les trois premières semaines, les effets recherchés tardent toujours à se manifester, vous doublez votre ration quotidienne durant un autre trois semaines. Si, après ce délai, les effets recherchés demeurent absents, cessez cette supplémentation; vous faites partie de la catégorie des 15 % qui ne réagissent pas à la phénylalanine.

L'approche graduelle préconise de débuter avec une ration quotidienne d'une capsule durant une semaine. La semaine suivante, on augmente la ration à deux capsules étalées dans la journée. La ration quotidienne augmente ainsi, de semaine en semaine, jusqu'à l'apparition des effets recherchés. À la fin de la semaine au cours de laquelle les effets recherchés ont apparu, on diminue la ration quotidienne d'une capsule par jour durant les semaines suivantes, jusqu'à la disparition des effets acquis ou la réapparition des malaises que l'on voulait éliminer. La ration quotidienne d'entretien se situerait autour de celle de la semaine précédente.

Dans l'approche graduelle, les rations quotidiennes maximales ne devraient pas outrepasser de 50 % les doses préconisées ci-après. Si on a atteint cette dose-limite, garder cette ration durant deux semaines; si les effets recherchés se font toujours attendre, cessez votre supplémentation en phénylalanine, vous faites partie de ceux qui ne réagissent pas à cet acide aminé.

Les rations au-delà de 2 000 mg (2 g) par jour peuvent induire de l'insomnie, de l'irritabilité et de l'hypertension; dans ces cas prenez vos doses après les repas, sinon baissez votre ration quotidienne.

Pour le contrôle de l'appétit (obésité) prendre une capsule une heure avant chaque repas.

Dans une recherche de vivacité d'esprit et de vitalité, prendre votre dose entre les repas; une ration quotidienne se situant autour de 500 g devrait suffire.

Pour combattre les douleurs, une ration quotidienne de 2 000 mg en doses à prendre avant les repas.

Pour le sevrage de drogue, on suggère l'approche préconisée en cas de douleurs.

Dans une recherche de modification d'un état dépressif, si vous n'avez pas encore eu recours à un antidépresseur, considérez avec votre médecin l'option d'une supplémentation à la DL-phénylalanine. Si vous prenez déjà un antidépresseur, n'interrompez pas brutalement votre traitement; consultez votre médecin pour envisager l'option d'une supplémentation en parallèle, ou l'option d'un passage progressif à la phénylalanine. La ration et les prises s'avèrent identiques à celles préconisées pour les douleurs.

Remarques

1: Les états suivants excluent la consommation de la DL-phénylalanine:

-Grossesse;

-Cancer de la peau (phénylcétonurie ou mélanome pigmentaire);

-Traitement antidépresseur aux IMAO (inhibiteurs de la monoamine oxydase);

-Crises d'angoisse.

2:La DL-phénylalanine en rations quotidiennes supérieures à deux grammes peut provoquer insomnie, irritabilité et hypertension; dans ce cas, prenez vos gélules après les repas ou bien abaissez votre ration quotidienne.

3:La DL-PA ne provoque pas d'accoutumance mais peut augmenter la pression sanguine. Les hypersensibles et ceux qui ont
un historique cardiaque devraient vérifier auprès d'un médecin
avant de consommer de la phénylalanine. Normalement, avec
ces cas-limites, la DL-PA se prend plutôt après les repas avec
surveillance de la pression sanguine dans les débuts.

Principales sources d'information utilisées

cf : 1, 2, 3, 4, 5, 6, 7, 8, 9 (En bibliographie, p. 247)

4.19- L-PHÉNYLALANINE

Acide aminé essentiel au sens utilisé pour les aminoacides. Elle figure à la cinquième position dans le profil d'assimilation d'une protéine complète. L'abréviation PA s'utilise pour désigner la phénylalanine.

La phénylalanine constitue le précurseur de L-tyrosine.

Les besoins de l'organisme en L-tyrosine se comblent les premiers, les autres besoins de l'organisme en phénylalanine se comblent ensuite; ce qui signifie qu'une supplémentation en phénylalanine comblera les besoins en tyrosine avant de laisser apparaître les autres effets attribuables à la phénylalanine elle-même

Cet acide aminé remplit une fonction de neurotransmetteur comme toute substance qui assure la transmission des signaux dans les nerfs et le cerveau. Par la filière L-tyrosine, elle devient précurseur de la dopamine, de la noradrénaline et de l'adrénaline, stimulants de vitalité et de vivacité d'esprit ou d'activités de type sympathique (le nerf sympathique); elle contribue aussi à la composition de la noradrénaline (norépinéphrine).

Elle augmente la sécrétion de la bêta-phénylethylalamine, un antidépresseur naturel, de là, l'utilisation de la phénylalanine comme antidépresseur.

Elle constitue un facilitateur de mémoire et d'apprentissage.

La phénylalanine, L-acide aspartique et L-glutamine s'avèrent trois acides aminés indispensables au bon fonctionnement du cerveau.

Par son action sur le système nerveux, la phénylalanine stimule l'humeur et permet au déprimé d'acquérir du pouvoir sur sa dépression. Elle procure, de plus, un soulagement des douleurs migraineuses, menstruelles ou arthritiques.

Elle se met à contribution comme réducteur de l'ardeur de l'appétit. La phénylalanine possède ainsi la caractéristique de favoriser les pertes de poids.

La présence du virus Epstein-Barr (mononucléose) et la fatigue chronique semblent associées avec un taux anormalement élevé de L-alanine combiné à une carence (taux bas) en phénylalanine et en L-tyrosine.

L'édulcorant aspartame se compose de phénylalanine et de L-acide aspartique.

Effets qu'on pourrait en attendre

- Diminution de l'appétit;

- Amélioration de la mémoire et de la vivacité d'esprit;

- Atténuation d'un état dépressif;

- Atténuation de douleurs arthritiques, migraineuses ou menstruelles;

- Facilitateur d'apprentissage;

- Inhibition de la tendance à l'obésité ou perte de poids;

- Pouvoir sur sa dépression;

- Tonique à l'humeur;

- Traitement aux malades atteints de la maladie de Parkinson;

- Traitement à la schizophrénie.

Sources naturelles

Toute protéine complète contient de la phénylalanine; la quantité assimilée ne dépend cependant pas de la quantité en présence mais de l'acide aminé critique de la protéine en cause.

Suppléments

Capsules de 400 ou 500 mg.

Supplémentation

Earl Mindell, dans sa bible sur les vitamines, suggère fortement aux personnes en recherche d'un remontant d'accorder un chance honnête à ce stimulant naturel de faire ses preuves avant d'avoir recours à des remèdes sous prescription ou autres formules sur le marché de la consommation.

Quand la ration quotidienne comprend plus d'une gélule, on étale les prises dans la journée.

La phénylalanine se prend seule avec du jus ou de l'eau.

Si vous faites déjà de l'hypertension, avant de consommer de la phénylalanine, utilisez les moyens appropriés pour garder votre tension sous surveillance particulière; au moindre signe d'aggravation de votre état attribuable à cette supplémentation, prenez vos doses plutôt après les repas ou baissez votre ration quotidienne sinon une supplémentation en phénylalanine n'est pas une option à votre portée pour le moment. Dans ce dernier cas, vous pourriez manifester une sensibilisé particulière à cet acide aminé et il demeure à votre portée de réviser votre alimentation pour vous permettre d'accéder à une tension plus acceptable.

Les rations quotidiennes au-delà de 2 000 mg ou 2 grammes peuvent induire de l'insomnie, de l'irritabilité et/ou de l'hypertension; dans ces cas, prenez vos doses après les repas ou diminuez la ration.

En tout état de cause, 10 à 15 % des personnes ne réagissent pas aux vertus antidouleur de la phénylalanine et même un certain délai, entre quatre et vingt jours, est requis avant que les effets attendus ne se manifestent. En conséquence, pour les effets antidouleur, deux approches à la consommation de cet acide aminé se préconisent: l'approche-cible et l'approche graduelle.

L'approche-cible préconise de fortes doses dès le départ; des adaptations si des effets secondaires surviennent dans l'intervalle, sinon le maintien de ce régime jusqu'à l'apparition des effets recherchés.

À la disparition des malaises, diminuer la ration quotidienne d'une capsule, et ce, par paliers d'une semaine. À la réapparition des malaises, augmenter la ration quotidienne ainsi atteinte d'une gélule, et cette nouvelle ration constitue probablement votre ration d'entretien.

Selon ce régime, si après les trois premières semaines, les effets recherchés tardent à apparaître, vous doublez votre ration quotidienne durant un autre trois semaines. Si après ce délai, les effets recherchés tardent toujours à se manifester, cessez cette supplémentation; vous faites partie de la catégorie des 15 % qui ne réagissent pas à la phénylalanine.

L'approche graduelle préconise de débuter avec une ration quotidienne d'une capsule durant une semaine. La semaine suivante, la ration augmente à deux capsules dont la prise s'étale dans la journée. La ration quotidienne augmente ainsi, de semaine en semaine, jusqu'à l'apparition des effets recherchés. À la fin de la semaine au cours de laquelle les effets recherchés ont apparu, la dose quotidienne se diminue d'une gélule par jour durant les semaines suivantes, jusqu'à la disparition des effets acquis à la réapparition des malaises que l'on voulait éliminer. La ration quotidienne d'entretien se situerait autour de la ration quotidienne de la semaine précédente (la ration quotidienne de la semaine augmentée d'une capsule).

Dans l'approche graduelle, les rations quotidiennes maximales ne devraient pas outrepasser de 50 % les doses préconisées ci-après. Si on atteint la dose-limite avant que les effets recherchés n'apparaissent, garder cette ration durant deux semaines; si les effets recherchés se font toujours attendre, cessez votre supplémentation en phénylalanine, vous faites partie de ceux qui ne réagissent pas à cet acide aminé.

Les rations au-delà de 2 000 mg (2 g) par jour peuvent induire de l'insomnie, de l'irritabilité et de l'hypertension; dans ces cas, prenez vos doses après les repas sinon baissez votre ration quotidienne.

Pour le contrôle de l'appétit, prenez une capsule une heure avant chaque repas.

Pour les pertes de poids, allez-y de 100 à 500 mg le soir sur un estomac vide.

Dans une recherche de vivacité d'esprit et de vitalité, prenez votre dose entre les repas et une ration quotidienne autour de 500 g devrait suffire.

Pour combattre les douleurs, adoptez une ration quotidienne de 2 000 mg en doses à prendre avant les repas.

Pour le sevrage de drogue, on suggère l'approche préconisée pour les douleurs.

Dans une recherche de modification d'un état dépressif, si vous n'avez pas encore eu recours à un antidépresseur, considérez avec votre médecin l'option d'une supplémentation en L- phénylalanine ou en DL-phénylalanine. Si vous prenez déjà un antidépresseur, n'interrompez pas brutalement votre traitement; consultez votre médecin pour envisager l'option d'une supplémentation en parallèle, ou l'option d'un passage progressif à la phénylalanine. La ration et les prises s'avèrent identiques à celles préconisées pour les douleurs.

Remarques

1: Les états suivants excluent la consommation de la
L-phénylalanine:

- Grossesse;

- Cancer de la peau
 (phénylcétonurie ou mélanome pigmentaire);

- Traitement antidépresseur aux IMAO
 (inhibiteurs de la mono-amine oxydase);

- Crises d'angoisse.

2: La phénylalanine ne provoque pas d'accoutumance mais peut augmenter la pression sanguine. Les hypersensibles et ceux qui ont un historique cardiaque devraient consulter un médecin avant de consommer de la phénylalanine. Normalement, avec ces cas-limites, la LPA se prend plutôt après les repas tout en surveillant de près la pression sanguine, dans les débuts, à tout le moins.

Principales sources d'information utilisées

cf : 1, 2, 4, 5, 6, 7, 8, 9, 11, 13 (En bibliographie, p. 247)

4.20- L-PROLINE

Acide aminé non essentiel au sens particulier utilisé pour les aminoacides. Précurseur de L-sérine et intermédiaire de L-sérine et de L-ornithine. La proline constitue un glucoformateur en possédant le pouvoir de se transformer en glucose, le plus souvent dans le foie, pour assurer momentanément le maintien de l'homéostasie (l'équilibre) glucidique quand la glycémie devient basse et que s'épuisent les stocks en glycogène. Cet acide aminé peut donc fournir un apport tampon jusqu'à ce que l'organisme puisse métaboliser les graisses qu'il avait stockées à cet effet. Un tel état de fait sous-entend qu'une déficience en cet acide aminé peut survenir pour répondre à des contraintes d'économie d'énergie plutôt qu'en répondant à une demande spécifique de cet acide aminé en particulier.

Cet acide aminé diminue les pertes de collagène induites par le vieillissement et travaille de concert avec la vitamine C.

La proline et L-lysine stimulent la synthèse du collagène et des fibres élastiques. Le collagène constitue la protéine qui s'avère le principal constituant des tissus conjonctifs, des tendons, des os et de la peau. La proline est donc extrêmement importante pour un bon fonctionnement des articulations et des tendons ainsi que pour la guérison des cartilages.

La proline renforce et aide à l'entretien du muscle cardiaque.

La proline, au niveau cellulaire, a un rôle majeur comme soupape ou barrière dans les échanges intercellulaires via les canaux interstitiels (gap junction channels) où sa molécule empêche la cellule déficiente de contaminer les cellules saines adjacentes. Le rôle d'une carence de cet acide aminé dans une prolifération gangreneuse (analogie symbolique) reste à démontrer. La gélatine naturelle est composée à :

25 % de L-glycine
14.1 % d'hydroxyproline
9.5 % de proline
8.5 % de L-alaline.

Effets qu'on peut en attendre

-Renforcement, réparation et maintien des muscles cardiaques;

-Accélération de la régénération de muscles et de tendons;

-Revitalisation des articulations usées;

-Maintien de la peau, des os et autres tissus en santé;

-Vraisemblable prévention des proliférations gangreneuses.

Sources naturelles

Les céréales de maïs, l'écorce du blé, du riz et du seigle ainsi que les gélatines biologiques représentent les sources habituellement citées par divers auteurs. Vous trouverez, en fin du présent volume diverses sources citées par ordre d'importance.

Suppléments

Capsules de 500 mg .

Supplémentation

Pour la formation de collagène, la vitamine C et le résidu de la synthèse de L-lysine (500 mg par jour) doivent figurer au tableau; 1 000 mg de vitamine C, 500 mg de L-méthionine et de 500 à 1 500 mg de proline à prendre par jour. La proline se prend entre deux repas et L-méthionine accompagnée de B-6 durant un repas.

Pour les autres effets recherchés, la dose personnelle de proline à prendre entre deux repas reste à être trouvée empiriquement; la dose de base étant de 500 mg par jour.

Remarques

Aucune contre-indication connue.

Pas de développement d'accoutumance (évidemment!).

Principales sources d'information utilisées

cf : 1, 2, 3, 4, 5, 6, 7, 8, 9, 16 (En bibliographie, p. 247)

4.21- L-SÉRINE

Acide aminé non essentiel au sens particulier utilisé pour les aminoacides. Intermédiaire de L-glycine, la sérine constitue un glucoformateur puisque l'organisme la transforme en glucose dans la situation où il y a un urgent besoin d'énergie, que les réserves de glycogène sont basses et que le recyclage des graisses en cours ne parviendra pas à répondre à temps à la demande. Cet acide aminé peut fournir un apport tampon jusqu'à ce que l'organisme puisse métaboliser les graisses en réserve. Cet état de fait sous-entend qu'une déficience en cet acide aminé peut survenir pour des raisons d'économie d'énergie plutôt que par une demande spécifique de cet acide aminé en particulier.

Elle stimule le stockage de glycogène dans le foie et les muscles.

Précurseur des phospholipides et des phosphoprotéines, elle devient un facteur dans la reconstitution de la myéline, graisse phosphorée constitutive de la gaine des fibres du système nerveux central. À ce titre, une supplémentation en sérine pourrait permettre à ceux atteints de la sclérose en plaques de diminuer les ravages de cette maladie en facilitant la reconstitution de leur myéline durant les intermèdes entre les périodes actives de détérioration.

Un acide aminé requis pour le métabolisme des graisses et des acides gras tout en facilitant la croissance des muscles.

Peut devenir précurseur, avec la vitamine B-9, de L-glutamine, un autre acide aminé.

Elle participe au renforcement du système immunitaire en facilitant la production d'anticorps et d'immunoglobulines.

Comme tout acide aminé à l'exception de la carnitine, elle agit comme un neurotransmetteur.

La sérine s'utilise comme agent naturel hydratant dans les produits pour les soins de la peau et les cosmétiques.

Ce qu'on peut en attendre

-Faciliter l'élimination des graisses en surplus;

-Faciliter la croissance musculaire;

-Éliminer une carence en glutamine;

-Renforcer le système immunitaire;

-Pourrait aider à réparer les dommages à la myéline;

-Augmenter la capacité d'effort à court terme.

Sources naturelles

Voir en fin de volume les sources de cet acide aminé par ordre d'importance.

Suppléments

Ne l'avons pas trouvée sous forme de suppléments alimentaires.

Supplémentation

La seule supplémentation possible réside dans un choix judicieux des aliments qui en sont les plus riches. Une liste de sources, classées par ordre d'importance, figure à l'annexe 2.2

Remarques

Pas de restrictions rencontrées à son sujet.

Principales sources d'information utilisées

cf : 1, 2, 3, 4, 5, 6, 7, 8, 9 (En bibliographie, p.247)

4.22- L-TAURINE

Acide aminé non essentiel au sens particulier utilisé pour les aminoacides.

La taurine se trouve dans les sucs (liquides) musculaires des invertébrés. Elle fut en fait découverte dans la bile de boeuf. Absente des protéines végétales, il devient particulièrement important que les végétariens synthétisent leurs besoins en cette substance.

Intermédiaire de L-cystéine ou de L-cystine dans le foie et de L-méthionine dans les autres parties du corps, cette synthèse ne peut se faire qu'en présence de la vitamine B-6.

La taurine agirait comme une base (building block) pour la synthèse des autres acides aminés. On la retrouve en grande concentration dans le muscle cardiaque, les globules blancs, la musculature du squelette et le système nerveux central.

Du fait que la taurine soit un constituant majeur de la bile, cet acide aminé est nécessaire à la digestion des gras, à l'assimilation des vitamines liposolubles (A,D,E et K) et au maintien d'un niveau satisfaisant de cholestérol sérique (cholestérol dans le sang).

En plus de faciliter la digestion des gras, la taurine s'avère bénéfique pour les malaises cardiaques, l'hypoglycémie, l'artériosclérose, l'hypertension et les oedèmes.

La taurine augmente considérablement la récupération musculaire: fatigue ou douleurs; elle restaure le tonus musculaire de l'athlète éprouvé par la compétition.

Acide aminé indispensable à l'organisme pour une utilisation adéquate du sodium, du potassium, du calcium et du magnésium, il joue un rôle particulier pour permettre au muscle cardiaque de conserver son potassium. À ce titre, il prévient les arythmies cardiaques qui peuvent s'avérer très dangereuses.

Il contribue à l'élimination des déchets azotés résultant des activités physiques et des radicaux libres. La taurine diminue le taux d'acétaldéhyde, substance toxique dans le sang provenant du métabolisme de l'alcool par le foie.

Acide aminé qui augmente l'activité phagocytaire et bactéricide des neutrophiles. Les neutrophiles comprennent les globules blancs du sang et de la lymphe qui constituent les cellules du système immunitaire lesquelles s'attaquent aux microbes et aux bactéries.

La taurine avec les acides aminés soufrés (L-méthionine, L-cystine et L-cystéine) représentent les facteurs indispensables pour pouvoir amenuiser les changements biologiques qui surviennent en cours de vieillissement.

La taurine associée au zinc se révèle indispensable au fonctionnement des yeux; une carence en ces deux substances induit des problèmes de vision. La taurine s'est révélée efficace dans la prévention de cataractes et un médecin-auteur américain — qui ne peut être cité sans autorisation préalable — recommande celle-ci, en injection, pour traiter la dégénérescence de la macula, autre stigmate du vieillissement.

On retrouve quatre fois plus de taurine dans le cerveau d'un enfant que dans celui d'un adulte. Une carence en taurine dans un cerveau en développement serait inducteur de crises d'épilepsie. Une carence en zinc est régulièrement relevée chez les épileptiques et pourrait, en parallèle, expliquer la déficience en taurine.

Plusieurs désordres du métabolisme peuvent provoquer des déversements excessifs de taurine dans les urines. De plus, les arythmies cardiaques, une formation inadéquate de plaquettes dans la formule sanguine, des problèmes intestinaux, une prolifération excessive de la levure candida -responsable de mycoses (muguet, vaginite...)- le stress physique ou psychologique, une carence en zinc et la consommation excessive d'alcool s'avèrent des états associés avec des pertes surabondantes de taurine par les urines, d'où une carence potentielle sévère.

Stabilisateur de l'excitabilité des membranes, cet acide aminé permet des interventions sur les crises d'épilepsie et de convulsions; sur les manifestations épileptoïdes, d'anxiété ou de frénésie.

Ce neurotransmetteur joue un rôle important dans le fonctionnement du système nerveux. Des fonctions mentales ébranlées indiquent un état pouvant relever d'une carence en taurine.

La taurine a un rôle de protection du cerveau, particulièrement contre la déshydratation. La déshydratation du cerveau se présente comme une des conséquences les plus nocives des abus d'alcool puisqu'elle provoque la mort de cellules qui ne se renouvellent pas.

Elle protège également l'organisme contre la toxicité de certains produits; chez l'animal de laboratoire, des suppléments de taurine protègent les poumons des dégâts occasionnés par la blémocine, substance utilisée en chimiothérapie.

La taurine augmenterait le VO2 max. ou capacité respiratoire.

Le diabète augmente les besoins en taurine tandis qu'une supplémentation en taurine et en L-cystéine diminue les besoins en insuline.

Les supplémentations en taurine induisent des effets bénéfiques chez les enfants atteints du syndrome de Down ou de dystrophie musculaire.

Des cliniques américaines utilisent la taurine en traitement des cancers du sein.

Effets qu'on peut en attendre

-Diminution des probabilités de carence chez les:
- -Végétariens;
- -Diabétiques;
- -Victimes de mongolisme;
- -Victimes de la dystrophie musculaire;
- -Enfants en développement;

-Récupération accélérée de la fatigue musculaire;

-Tonification musculaire en cours d'efforts;

-Stimulation de l'immunité aux microbes et aux bactéries;

-Prévention de crises:
- -d'épilepsie;
- -de convulsions;
- -d'anxiété;
- -de frénésie;

-Amenuisement des changements biologiques en cours de vieillissement;

-Élimination des radicaux libres neutralisés;

-Élimination d'un toxique induit par l'alcool;

-Prévention des cataractes et autres problèmes de vision;.

-Augmentation de la capacité respiratoire;

-Soulagement :
- -de l'hypoglycémie;
- -de malaises cardiaques;
- -de l'hypertension;
- -de l'artériosclérose;
- -d'oedèmes;

-Stimulation d'un foie paresseux;

-Prévention des conséquences d'une carence en:
- -Vitamine B-6;
- -Zinc;

-Protection du cerveau incluant la déshydratation;

-Prévention des arythmies cardiaques;

-Meilleure utilisation de minéraux:

-Calcium, sodium, potassium, magnésium.

Sources naturelles

Oeufs, poissons, viandes et lait. Elle se synthétise par notre propre organisme dans le foie à partir de L-cystéine ou de L-cystine et de la vitamine B-6 et ailleurs à partir de L-méthionine.

Suppléments

Capsules de 500 mg.

Supplémentation

La taurine se prend préférablement aux repas. Dans une recherche de récupération musculaire, 500 mg deux fois par jour. En cas d'efforts intenses, 1 000 mg deux fois par jour (dose doublée). Dans une recherche de protection contre un risque de cataracte, 500 mg deux fois par jour; une autre source, plus commerciale toutefois, préconise la recette suivante: taurine, 500 mg deux fois par jour; L-cystéine, 1 000 mg deux fois par jour, et les vitamines A (5 000 U.I.), C (5 000 mg), P (100 mg) et B-2 (20 mg).

Dans une préoccupation de prévention contre des crises d'épilepsie ou de convulsions; 250 mg de taurine avec 250 mg de glutamine trois fois par jour (délayer le contenu de la moitié d'une gélule de 500 mg dans de l'eau pour avoir vos 250 mg de taurine).

Pour les autres effets, trouver la dose personnelle convenant et qui se situe entre 500 et 1500 mg par jour.

Remarques

Les femmes enceintes ou allaitantes ne consomment pas de taurine en supplémentation.

Principales sources d'information utilisées

cf : 1, 2, 3, 4, 5, 6, 7, 8, 9, 11 (En bibliographie, p. 247)

4.23- L-THRÉONINE

Acide aminé essentiel au sens particulier utilisé pour les aminoacides. La thréonine figure au sixième rang dans le profil d'assimilation Imbeau (PAI).

Figure parmi les constituants du collagène (cartilages), de l'élastine (ligaments et tendons) et de l'émail (dents).

La thréonine participe à la synthèse des protéines et joue un rôle dans l'équilibre protéique de l'organisme en influant sur le métabolisme (activité chimique de la vie) et l'assimilation.

Cet acide aminé se retrouve dans le coeur, le système nerveux central et les muscles du squelette.

Participe au fonctionnement en douceur de l'appareil digestif et intestinal.

Elle améliore le fonctionnement du système immunitaire en favorisant la production d'anticorps.

S'avère un facteur lipotrope encore plus puissant lorsque combiné à L-acide aspartique et à L-méthionine; elle prévient l'accumulation des graisses dans le foie et en favorise l'élimination.

Cet acide aminé nous donne du pouvoir sur les crises d'épilepsie.

Effets qu'on peut en attendre

-Approvisionnement en cartilage, ligaments et émail;

-Équilibre protéique dans l'organisme;

-Amélioration du fonctionnement:

        -Coeur;

        -Système nerveux central;

        -Musculature;

-Appareil digestif;

-Appareil intestinal;

-Système immunitaire;

-Désengorgement du foie;

-Atténuation des crises épileptoïdes.

Sources naturelles

Acide aminé essentiel, donc l'approvisionnement ne s'effectue pas en fonction de la quantité présente, mais selon l'acide aminé critique des protéines en cause. Les végétariens auraient une tendance à développer une carence en cet acide aminé.

Suppléments

Gélules de 500 mg.

Supplémentation

Une gélule quotidienne, habituellement sur estomac vide, constitue la dose standard. Sur estomac vide signifie au lever, au coucher ou deux heures après un repas. Une dose personnelle peut graduellement s'identifier selon l'effet recherché et la réaction du consommateur.

Remarques

Aucune contre-indication particulière de rattachée à cet acide aminé essentiel.

Principales sources d'information utilisées

cf : 1, 2, 3, 4, 5, 6, 7, 8, 9 (En bibliographie, p. 247)

4.24- L-TRYPTOPHANE

Acide aminé essentiel et critique. Le terme essentiel se prend ici dans le sens particulier utilisé pour les aminoacides. Le terme critique, utilisé ici, signifie que le tryptophane fait partie du trio d'acides aminés essentiels dont la présence vérifiée dans une protéine sert à présumer de la présence des 5 autres; L-méthionine et L-lysine constituent la paire pour compléter ce trio.

Le tryptophane occupe la septième position dans le profil d'assimilation de la protéine complète.

L'organisme a besoin de fer et utilise de la vitamine B-6 pour métaboliser le tryptophane. Cet aminoacide remplit le rôle de précurseur des indolamines tyramine et sérotonine moyennant de la vitamine B-6. La sérotonine, à son tour, constitue le précurseur de la mélatonine

La tyramine s'avère un puissant vasocompresseur.

La sérotonine se synthétise surtout dans les intestins et se retrouve dans divers secteurs de l'organisme. S'affiche, entre autres, un important neurotransmetteur et ses diverses fonctions biologiques se présentent de plus en plus difficiles à cerner, d'autant plus que plusieurs des fonctions de la mélatonine lui avaient été attribuées, dont entre autres, le rôle dans le sommeil réparateur.

La mélatonine, hormone sécrétée surtout par l'épiphyse n'a pris que quelques années pour devenir la substance-miracle de l'heure. Une fiche technique distincte, devrait figurer à ce présent palmarès, mais elle ne constitue pas un acide aminé. Par la filière mélatonine, le tryptophane devient un outil pour combattre la dépression surtout celle induite par les troubles du sommeil.

Le tryptophane a été retiré du marché nord-américain en 1989 par suite d'une contamination induite par le procédé de fabrication et attribuée au produit lui-même. Cette interdiction ne s'applique cependant pas aux préparations contenant du tryptophane. Le procédé le plus économique pour l'isoler bénéficie d'un brevet et propriété d'un japonais (qui avait accaparé 70% du marché mondial). On peut raisonnablement présumer qu'à la fin de la période protégée par le brevet ou en suite de la mise au point d'un nouveau procédé, cette interdiction américaine puisse disparaître, surtout si le nouveau procédé en question jouit d'une protection entre les mains d'un ressortissant américain... Telle levée d'embargo pourrait s'appliquer aussi pour le Canada. Cet acide aminé, jadis disponible, s'avérait difficile à trouver en sol canadien. De fortes réticences au Canada, semblent fondées sur des mobiles analogues à ceux manifestés par les Américains pour le tryptophane. De telles réticences se manifestent autour de la consommation de certains acides aminés et d'hormones synthétiques telles la DHEA et la mélatonine; lesquels, pourtant, constituent des substances remarquables pour leurs effets physiologiques et par leur innocuité, mais malgré tout, gardées sous contrôle particulièrement sévère, au nom du contraire...

Nous savons que les surplus de tryptophane dans l'organisme sont transformés en vitamine B-3 dans une proportion de 60:1. Nous savons également que la concentration de la sérotonine dans l'organisme se maintient en proportion de la présence du tryptophane et inversement proportionnelle à celle de la dopamine (bien-être et vivacité).

Les différentes vertus du tryptophane reliées à l'insomnie et au sommeil nous semblent plus relever de la mélatonine que de la sérotonine ou de l'acide aminé lui-même.

Cet acide aminé a une fonction de neurotransmetteur, il s'avère précurseur de la tyramine et de la sérotonine, deux autres neurotransmetteurs et en plus fournit une contribution dans la synthèse de diverses autres substances neurobiologiques. À ce dernier titre, le tryptophane aide à stabiliser l'humeur (écart moins grand entre les extrêmes) et s'avère un bon réducteur de stress ainsi qu'un relaxant naturel qui diminue l'anxiété et la dépression. En Angleterre, on utilise le tryptophane comme un antidépresseur et comme adjuvant à d'autres médications. Le tryptophane donnerait de meilleurs résultats que l'imipramine, l'élément actif du Tofranil (et équivalents), un antidépresseur. D'ailleurs, certains cliniciens suggèrent d'associer le tryptophane au lithium dans les traitements de la maladie bipolaire; telle pratique permettrait de diminuer la dose en lithium et ainsi réduire les risques inhérents à l'utilisation de ce minéral.

Les carences en tryptophane apparaissent fréquemment chez les personnes qui abusent de l'alcool. Ces carences induisent une carence en sérotonine au cerveau d'où carence de mélatonine pour ne pas mentionner les troubles du sommeil et de la mémoire, la dépression et les troubles du comportement pouvant aller jusqu'aux hallucinations.

Une supplémentation en tryptophane diminuerait les risques de spasmes artériels et cardiaques puisqu'une carence en tryptophane et en magnésium serait une des causes de ces manifestations pour le moins désagréables.

Le tryptophane contribue au contrôle de la douleur, particulièrement les migraines et les douleurs dentaires.

Cet acide aminé aide au contrôle du poids comme réducteur d'appétit. Il stimule la sécrétion de l'hormone de croissance (HGH). S'utilise pour contrôler l'hyperactivité chez les enfants.

Il constitue aussi un bon réducteur, de concert avec L-lysine, du taux de cholestérol.

Enfin, il diminuerait les dommages provoqués par la nicotine.

Effets qu'on peut en attendre

-Prévention d'une carence en mélatonine;

-Induction au sommeil;

-Tonique cardiaque;

-Prévention d'une carence en sérotonine;

-Plus grande tolérance à la douleur;

-Soulagement de migraines et de douleurs dentaires;

-Effets d'un antidépresseur sans induction de dépendance;

-Soulagement de l'anxiété ou de la tension (anxiolytique);

-Aide dans l'élimination des manifestations à la suite de désordres induits par l'alcool;

-Soutien dans le combat contre la dépendance vis-à-vis :

> -l'alcool,
>
> -la cocaïne
>
> -les emphétamines;

-Prévention de spasmes artériels ou cardiaques;

-Soulagement de l'hyperactivité chez l'enfant;

-Baisse du dosage de lithium chez les maniaco-dépressifs;

-Baisse du taux de cholestérol.

Sources naturelles

Le tryptophane se retrouve dans toute protéine complète et la quantité assimilée ne dépend pas de l'importance de sa présence dans la protéine mais plutôt de l'intervention de l'acide aminé critique. En règle générale le tryptophane s'avère l'acide aminé le moins abondant dans les protéines.

Suppléments

Lorsque disponibles, comprimés de 250 et 500 mg.

Supplémentation

Les suppléments de tryptophane se consomment entre les repas avec du jus ou de l'eau sans apport de protéines. Pour les effets anxiolytiques et antidépresseur, la dose de 500 mg par jour peut s'avérer suffisante sauf dans les cas de maniedépression traités au lithium où les doses suggérées peuvent aller jusqu'à 12 g par jour. À tout événement, quel que soit l'effet recherché, la dose personnelle sera à trouver en augmentant graduellement.

Remarques

En cas de doses quotidiennes supérieures à deux grammes, surveiller toute manifestation inhabituelle pouvant laisser croire à une surconsommation, auquel cas, vous cessez votre consommation jusqu'à disparition de cette dernière sinon vous consultez votre médecin. Lorsque vous vous supplémentez en tryptophane, on recommande de prendre, aux repas, une supplémentation de vitamines B-1, 3 et 6 en ration quotidienne de 50 à 100 mg chacune.

Principales sources d'information utilisées

cf : 1, 2, 3, 4, 5, 6, 7, 8, 9, 17 (En bibliographie, p. 247)

4.25- L-TYROSINE

Acide aminé non essentiel au sens particulier utilisé pour les aminoacides.

La tyrosine se révèle intermédiaire de L-phénylalanine malgré son implication dans le catabolisme initial de L- ou D-phénylalanine dans le foie. Une supplémentation en tyrosine allège la demande en L-phénylalanine qui peut être, par ailleurs, en forte demande; les besoins de l'organisme en tyrosine se démontrent prioritaires. Pour pouvoir exercer plusieurs de ses effets dont celui de stimulant à l'humeur et d'inhibiteur d'un sentiment d'appétit opiniâtre, L-phénylalanine doit se métarphoser en tyrosine.

La tyrosine constitue à la fois un neurotransmetteur et un précurseur des catécolamines dopamine, noradrénaline et adrénaline ainsi que de la thyroxine, de la mélanine, de l'ubiquinone (coenzyme Q-10) et de la tyramine.

Comme neurotransmetteur, elle transmet les impulsions nerveuses au cerveau.

La dopamine et la noradrénaline constituent deux neurotransmetteurs impliqués dans la présence ou l'absence d'anxiété et d'angoisse. Elles régularisent le comportement, favorisent la vivacité mentale et combattent les manifestations du stress.

La tyrosine exige la présence de la vitamine B-6 ainsi que du fer comme cofacteur, pour se transformer en L-dopa puis en dopamine. La dopamine, dans le cerveau, induit un sentiment de bien-être et de vivacité neutralisant ainsi l'état de stress psychologique. La dopamine s'avère, aussi, le précurseur de la noradrénaline.

Non seulement la tyrosine aide-t-elle à maintenir la thyroïde, les surrénales et l'hypophyse en santé, mais elle se transforme, en plus, en thyroxine dans la glande thyroïde. Pour cette transformation, la thyroïde utilise les vitamines B-6 et C, de l'iode, de la choline ainsi que du fer comme cofacteurs.

La thyroxine, hormone sécrétée par la thyroïde, stimule les surrénales à produire de la noradrénaline et de l'isoprénaline (épinéphrine), lesquelles, lorsque combinées, se comportent comme l'adrénaline. La thyroxine préside aussi au métabolisme des graisses et au métabolisme basal (de l'ensemble de l'organisme) participant ainsi à la vivacité mentale et à la croissance des tissus. Toute baisse en thyroxine implique une chute proportionnelle en libido.

La noradrénaline a, dans le cerveau, des effets analogues à ceux déclenchés par l'adrénaline dans le reste de l'organisme.

L'adrénaline constitue l'hormone «d'attaque ou de fuite» dérivée de la noradrénaline. Une molécule d'adrénaline peut faire sécréter par le foie 30 000 molécules de glucose. Seule l'adrénaline peut faire repartir un coeur arrêté ou fournir plus d'énergie à une personne stressée. Trop peu d'adrénaline de synthétisée ou de disponible induit la dépression mentale.

L'ubiquinone ou coenzyme Q (Q-10) se révèle un porteur d'électrons en fin de la chaîne respiratoire qui se trouve dans les mitochondries, les microsomes et les cellules du coeur. Elle renforce le coeur et en augmente l'aptitude à extraire son énergie du milieu ambiant. Elle améliore la réponse physiologique aux bienfaits des exercices physiques. Améliore la circulation au cuir chevelu d'où favorise la croissance des cheveux. Utilisée au Japon pour traiter les infections à la bouche et aux gencives. Possède un fontion antioxydante (cf le cycle du glutathion). En carence, l'ensemble de la vie métabolique ralentit...En supplémentation, s'utilise comme un médicament intervenant dans le traitement de maladies diverses incluant le SIDA, les cancers et le syndrome de la fatigue chronique. Sa présence dans l'organisme a tendance à diminuer à mesure qu'on avance en âge.

La mélanine s'avère un pigment des cheveux et de la peau tandis que la tyramine un vasoconstricteur neutralisé par l'enzyme mono amine oxydase (MAO).

On a démontré la relation entre un faible taux de tyrosine et l'hypothyroïdisme. En effet, la tyrosine s'associe aux atomes d'iode pour produire diverses hormones émanant de la glande thyroïde.

La présence du virus Epstein-Barr (mononucléose) et la fatigue chronique s'associent à un taux anormalement élevé de L-alanine combiné à une carence en L-phénylalanine et en tyrosine.

Les principaux signes d'une carence en tyrosine résident dans une basse pression, une température basse (extrémités froides attribuées souvent à une mauvaise circulation) et le «fourmil» aux jambes.

Une carence en tyrosine, tout comme les effets du stress, induit un manque de noradrénaline dans certaines régions du cerveau; il s'ensuit une baisse de l'activité physique et de l'état de vigilance ainsi qu'une augmentation dans le sang, d'un stéroïde qui déprime les défenses immunitaires. Une supplémentation en tyrosine aide à la relaxation (effet anti-stress) et favorise le sommeil.

La tyrosine aide à régulariser les états d'hyperinsulinisme que l'on retrouve souvent chez les sujets sensibles au stress et les dépressifs.

Elle active le fonctionnement thyroïdien donc elle:

- Facilite l'amaigrissement en augmentant le métabolisme basal;

- Soulage les manifestations hypothyroïdiennes caractérisées simultanément par de la fatigue, une émotivité à fleur de peau, de la frilosité et une prise de poids.

Des recherches ont démontré que des supplémentations en tyrosine pouvaient influencer favorablement une dépression ou un état d'anxiété résistant aux médicaments et qu'elle permettait aux sujets traités aux emphétamines (pour l'humeur ou l'appétit) de se ramener rapidement (une à deux semaines) aux doses minimales prévues.

La tyrosine se révèle fort utile aux cocaïnomanes pour se défaire de leur habitude en diminuant les états de fatigue, de dépression et d'irritabilité qui accompagnent le sevrage; 70 % des consommateurs de cocaïne, lorsque traités à la tyrosine, diminuent leur consommation de 50 % à complètement .

Ce qu'on peut en attendre:

- Stimulation physique:

  -métabolisme basal;

  -antidote à la fatigue;

  -vasocompression;

- Augmentation de la mémoire et de la vivacité d'esprit;

- Equilibre à la thyroïde, les surrénales et l'hypophyse;

- Combat l'impuissance masculine ou féminine;

- Élimination des effets attribués à l'hypothyroïdisme;

- Traitement de l'agitation de l'enfant et de l'adolescent;

- Soulagement de tension;

- Allègement d'un accouchement et de ses suites;

- Récupération en suite d'une opération chirurgicale;

- Diminution des douleurs musculaires;

- Inversion d'un état de stress;

- Soulagement des suites d'un thraumatisme psychologique;

- Soulagement d'un état dépressif ou anxieux;

- Soulagement de troubles de la mémoire;

- Soulagement des effets de sevrage de la cocaïne ou d'une autre drogue;

- Conditionnement pour faire face à du stress;

- Prévention de la déprime à la suite d'une dépression;

- Soulagement d'une sensation opiniâtre d'appétit;

- Conservation de son immunité malgré la fatigue (rhume, grippe...);

- Soulagement des manifestations de la maladie de Parkinson;

- Élément d'une thérapeutique antivirus Epstein-Barr.

Sources naturelles

Les divers auteurs citent généralement les amandes, les avocats, les produits laitiers, les fèves de Lima et les graines de citrouille et de sésame comme sources. Vous avez une série de sources présentées en ordre d'importance à la fin de ce volume.

Suppléments

On recommande les capsules de préférence aux autres présentations.

Capsules et comprimés de 500 mg.

Supplémentation

La tyrosine en suppléments devrait être prise au coucher ou avec un repas comprenant surtout des hydrates de carbone, de façon à ce qu'elle n'entre pas en compétition avec d'autres acides aminés aux sites d'assimilation.

Après un choc psychologique (qui peut même provoquer la perte des règles chez les femmes) pour agir sur l'ensemble des sécrétions de l'hypophyse: 500 mg de L-tyrosine et 500 mg de L-phénylalanine une fois par jour avec un verre d'eau (à jeun ou) au coucher le soir.

Pour accroître la vigilance, lutter contre un état dépressif ou pour garder ses capacités intactes dans une situation de stress; de 500 à 2 000 mg de tyrosine avec un verre d'eau à jeun ou au coucher. Prendre de la tyrosine à l'avance quand on prévoit des circonstances pénibles.

Pour diminuer la dépendance à la cocaïne ou à une autre drogue: 1 000 à 2 000 mg trois fois par jour avant les repas pendant quatre à cinq semaines agrémentés de 1 000 mg de DL-phénylalanine (DL-PA) trois fois par jour aux mêmes temps.

Pour régulariser un état d'hyperinsulinisme, 6 000 mg ou 6 g par jour en trois ou quatre prises avec de l'eau (au lever ou coucher et une heure avant chaque repas).

Manifestation d'agitation, de colère ou d'agressivité excessive: un à deux g par jour de tyrosine, seule ou associée à L-glycine, en deux ou trois prises, avec un verre d'eau, avant les repas.

En situation d'hypothyroïdie (fatigue+émotivité +frilosité+poids): cinq g par jour, en plusieurs prises, avec de l'eau sur estomac vide.

Pour dénouer un état de stress: B-5, 100mg trois fois par jour; tyrosine, 500mg au lever et au coucher sur estomac vide et 2 000 mg de calcium et 1 000 mg de magnésium.

Pour les autres effets, la dose personnelle à trouver devrait se trouver autour des 500 mg par jour à prendre avec un verre d'eau une heure avant un repas ou sur un estomac vide.

Remarques

1: Éviter la tyrosine pour les états suivants:

-Grossesse.

-Certains cancers; phénylcétonurie et mélanome pigmentaire.

-Traitement antidépresseur aux IMAO (inhibiteurs de la monoamine oxydase).

-Prédisposition à des crises d'angoisse.

-Hypertension.

2:La tyrosine en rations quotidiennes supérieures à deux grammes peut provoquer de l'insomnie, de l'irritabilité et de l'hypertension; dans ce cas, prenez vos gélules après les repas ou bien abaissez votre ration quotidienne.

3:La tyrosine ne provoque pas d'accoutumance mais peut augmenter la pression sanguine. Les hypersensibles et ceux qui ont un historique cardiaque devraient vérifier auprès d'un médecin avant de consommer de la tyrosine ou de la L-phénylalanine. Normalement, avec ces cas limites, les prises s'effectuent plutôt après les repas ou sur un estomac plein.

Principales sources d'information utilisées

cf : 1, 2, 3, 4, 5, 6, 7, 8, 9, 11, 13
(En bibliographie, p. 247)

4.26- L-VALINE

Acide aminé essentiel au sens particulier utilisé pour les aminoacides. La valine occupe la huitième position du profil d'assimilation préconisé par l'auteur[1].

La valine favorise la vivacité d'esprit, la coordination musculaire et les émotions sereines (calmes); elle a un effet stimulant. Se montre nécessaire au métabolisme des muscles, à la réparation des tissus et au dosage approprié d'azote dans le corps. La valine se présente en grande concentration dans les tissus musculaires.

Elle constitue un nutriment d'appoint pour traiter les carences en acides aminés des drogués.

Une carence en valine provoque un déséquilibre qui se manifeste par un manque d'hydrogène dans l'organisme.

Une présence excessive de valine dans le corps peut induire des malaises tels des sensations de grouillements dans la peau et même des hallucinations.

L'hypervalinémie se manifeste par une association de troubles digestifs, ventilatoires et surtout neurologiques relevant d'un catabolisme (digestion) anormal de la valine.

La leucine, la valine et l'isoleucine se distribuent combinées, en chaîne ramifiée, puisqu'un surdosage de l'un par rapport aux deux autres peut comporter plus d'inconvénients que d'avantages.

La consommation d'une combinaison de valine, de leucine et d'isoleucine favorise le métabolisme musculaire, la régénération des tissus et un équilibre favorable en azote.

La leucinose ou urines à l'odeur d'érable relève d'un état causé par un catabolisme (dégradation par la digestion) anormal où la valine, l'isoleucine et la leucine ne se dégradent pas.

---

[1] PAI Profil d'assimilation Imbeau

Effets qu'on peut escompter d'une consommation simultanée

- Vivacité d'esprit (cerveau supérieur);

- Meilleure coordination musculaire;

- État de calme (émotions sereines);

- Normalisation du taux d'hydrogène;

- Normalisation du taux d'azote;

- Baisse du taux de sucre dans le sang;

- Rehaussement de l'énergie disponible;

- Élimination de manifestations de type hypoglycémie;

- Augmentation de l'endurance à l'effort;

- Guérison accélérée des blessures osseuses, cutanées ou musculaires;

- Cartilages et tendons en santé;

- Globules rouges mieux pigmentés;

- État soutenu d'alerte mentale;

- Régénération et réparation des tissus musculaires;

- Rehaussement du métabolisme musculaire;

- Élimination de cette carence chez les drogués.

Sources naturelles

Toute protéine complète constitue une source de valine; le taux d'assimilation de cet acide aminé essentiel ne dépend pas de la quantité en présence dans un aliment mais de l'intervention de l'acide aminé critique.

Le consommateur de cet acide aminé tient compte de l'importance d'une consommation combinée pour éviter les manifestations fâcheuses possibles.

Suppléments

Capsules dites B.C.A.A.(Branched chain amino acids) combinant la valine, la leucine et l'isoleucine.

Supplémentation

200 mg par jour sur un estomac vide avec de l'eau ou du jus; évitez de prendre avec du lait. 50 mg de B-6 et 100 mg de vitamine C sont suggérés pour favoriser une meilleure assimilation.

Remarques

S'en tenir à consommer les trois substances simultanément. Aucune autre contre-indication si l'on s'en tient aux paramètres de consommation.

Principales sources d'information utilisées

cf : 1, 2, 3, 4, 5, 6, 7, 8, 9, 11 (En bibliographie, p. 247)

ANNEXE 1

LES ALIMENTS

Par ordre décroissant d'importance.

Poids en grammes des acides aminés, des minéraux et des vitamines assimilables comme tels et contenus dans 100 grammes de l'aliment.

Rang:	Aliment	Poids
1	Fromage gouda [1]	
2	Fromage suisse	29,122
3	Arachides	26,679
4	Thon	26,655
5	Graines de citrouille	25,905
6	Graines de sésame	25,465
7	Graines de tournesol	25,297
8	Fromage cheddar	24,856
9	Sardines	23,148
10	Fromage brick	22,744
11	Amandes	22,563
12	Fromage Brie	20,648
13	Fromage camembert	20,435
14	Dinde/blanc	20,061
15	Fromage mozzarella [1]	
16	Foie de boeuf	19,100
17	Crevettes	18,844
18	Truite	18,734
19	Foie de dinde	18,185

[1] Nous ne pouvons fournir l'information exacte. Les quantités en tyrosine et en cystine n'étant pas disponibles, nous ne pouvons calculer la partie de méthionine ou de phénylanine pouvant être assimilée en énergie (cf. ch. 3).

20	Saumon	17,983
21	Flétan	17,941
22	Poulet/blanc	17,923
23	Dinde/brun	17,814
24	Crabe	17,682
25	Homard	17,635
26	Boeuf/ronde	17,219
27	Sole	17,061
28	Jambon	17,035
29	Haddock	17,015
30	Foie de canard	16,702
31	Noix de cajou	16,453
32	Foie de poulet	16,412
33	Noix	16,398
34	Hareng	16,318
35	Noix du Brésil	16,288
36	Morue	16,205
37	Boeuf/surlonge	16,198
38	Aloyau (T-Bone)	15,889
39	Maquereau	15,148
40	Boeuf haché	15,085
41	Poulet/brun	14,884
42	Pétoncles	14,719
43	Blé soufflé	14,611
44	Coeur de poulet	14,465
45	Noisettes	12,950
46	Fromage cottage	12,884
47	Oeuf de poule	12,715

ANNEXE 2

SOURCES DE NUTRIMENTS

2.1 - Dosages limites de certains aliments :

Les nutriments regroupent les éléments de nourriture comprenant les acides aminés, les minéraux sans l'eau et les vitamines.

On a consacré une page à chaque nutriment autre que les acides aminés essentiels.

Pour chacun de ces nutriments, apparaît une liste de sources ou d'aliments dans lesquels on le retrouve.

Chaque source s'accompagne d'un nombre. Ces chiffres indiquent la quantité d'unités de ce nutriment présentes dans 100 grammes de la source mentionnée. L'unité de mesure utilisée pour un nutriment figure à l'en-tête de la colonne des nombres.

Passé un certain seuil, quelques aliments deviennent toxiques du fait qu'ils contiennent des vitamines liposolubles ou des minéraux sensibles aux surdosage. Même à une ration aussi modeste que 100 grammes, certains aliments peuvent contenir plus que la dose quotidienne recommandée pour de tels nutriments. Les pages qui suivent n'impliquent que le fer, le cuivre ou la vitamine A. Lorsque le même aliment possède plus d'un de ces nutriments en quantité critique, celui qui commande la plus petite ration sert à qualifier cette source.

La dose inoffensive quotidienne d'un nutriment peut varier, en fonction de l'âge, du sexe ou de l'état du consommateur. Pour tenir compte de ces caractéristiques, chaque aliment pouvant comporter des risques sera précédé de parenthèses. Ces parenthèses englobent trois sections limitées par une barre oblique (/). Ainsi nous aurons comme indicatif cette annotation (/ /) où la première section représente la ration destinée aux hommes-adultes, la seconde section aux femmes-adultes et la troisième aux enfants.

Quand la dose préconisée pour les femmes enceintes ou allaitantes diffère de celle des autres femmes, la section réservée aux femmes (la seconde) comprend alors deux sub-divisions séparées par un signe moins (-). Nous serons alors en présence de parenthèses comme ceci: (/ - /) où une ration quotidienne de l'aliment pourra figurer dans la section attribuée à la catégorie de personnes concernées.

Chaque ration ainsi mentionnée représente la quantité quotidienne inoffensive recommandée. La ration de l'aliment en grammes figure donc dans la première section pour les hommes et celle des enfants, dans la troisième; dans la deuxième section, s'il y a subdivision, la dose recommandée pour les femmes en général et qui figure dans la première subdivision diffère de la dose préconisée pour les femmes enceintes ou allaitantes qui figure dans la deuxième sous-section.

Le point d'interrogation (?) indique une limitation probable mais dont nous ignorons le seuil; et le signe moins (-) qu'il n'y a pas de limitation qui survienne pour une ration allant jusqu'à 100 grammes par jour pour les personnes représentées dans cette section.

Ainsi, (28/22-33/17) Foie de dinde, indique qu'une ration de 28 grammes de cet aliment pour un homme adulte, de 22 grammes pour une femme adulte ou de 33 grammes si enceinte ou allaitante et de 17 grammes pour un enfant cons-tituent la dose quotidienne recommandée d'un nutriment qui devient toxique en surdosage.

En connaissant ces caractéristiques, pour un nutriment donné, on connaît immédiatement la contribution que l'on peut escompter, en toute innocuité, de l'aliment considéré ou envisagé.

2.2.1   ACIDE ASPARTIQUE
(Acide aminé)

Sources par ordre décroissant d'importance:

	Source:	g /100 g:
	Arachides	3,500
	Thon	3,030
	Sardines	2,521
(89/—/?)	Graines de citrouille	2,443
	Graines de tournesol	2,414
	Amandes	2,345
	Graines de sésame	2,267
	Truite	2,118
	Crevettes	2,094
	Dinde/blanc	2,083
	Saumon	2,024
	Homard	2,941
	Flétan	1,941
	Haddock	1,941
	Sole	1,929
(14/11-17/8)	Foie de boeuf	1,920
	Maquereau	1,906
(28/22-33/17)	Foie de dinde	1,902
	Crabe	1,882
	Hareng	1,835
	Morue	1,824
	Dinde/brun	1,822
	Poulet/blanc	1,802
(13/10-15/8)	Foie de canard	1,782
	Noix	1,770
	Boeuf/ronde	1,769
	Fromage gouda	1,764
(24/19-29/15)	Foie de poulet	1,709
	Boeuf /surlonge	1,665
	Jambon (porc)	1,661
	Pétoncles	1,624
	Fromage cheddar	1,621
	Fromage brick	1,607
	Fromage suisse	1,589
	Coeur de poulet	1,508

ACIDE GLUTAMIQUE
(Acide aminé)

Sources par ordre décroissant d'importance:

	Source:	g/100 g:
	Fromage gouda	6,214
	Arachides	6,181
	Fromage cheddar	6,143
	Amandes	5,937
	Fromage suisse	5,750
	Fromage brick	5,571
	Graines de tournesol	5,538
	Blé soufflé	4,975
	Graines de sésame	4,947
	Fromage mozzarella	4,571
	Fromage brie	4,429
	Thon	4,418
(89/—/?)	Graines de citrouille	4,286
	Fromage camembert	4,214
	Sardines	3,675
(99/99-99/?)	Noix d'acajou	3,550
	Crevettes	3,471
	Dinde/blanc	3,444
	Noix	3,370
	Flétan	3,212
	Homard	3,212
	Blé (Shredded Wheat)	3,178
	Noix du Brésil	3,143
	Crabe	3,118
(63/91—/68)	Son en flocons	3,106
	Truite	3,094
	Dinde/brun	3,020
	Noisettes	3,015
	Poulet/blanc	2,966
	Saumon	2,965
	Boeuf/ronde	2,907
	Jambon(porc)	2,863
	Haddock	2,824
	Sole	2,812

ALANINE (Acide aminé)

Sources par ordre décroissant d'importance:

Source:	g /100 g:
Sardines	1,488
Graines de sésame	1,407
Dinde/blanc	1,378
Truite	1,259
(14/11-17/8) Foie de boeuf	1,239
Dinde/brun	1,204
Saumon	1,200
Thon	1,188
Poulet/blanc	1,172
Boeuf/ronde	1,167
(28/22-33/17) Foie de dinde	1,157
Crevettes	1,151
Arachides	1,146
Haddock	1,144
(89/—/?) Graines de citrouille	1,143
Sole	1,140
Maquereau	1,125
Graines de tournesol	1,103
Boeuf/surlonge	1,099
(13/10-15/8) Foie de canard	1,089
Boeuf haché (rég.)	1,088
Hareng	1,086
Morue	1,076
Homard	1,065
Flétan	1,065
(24/19-29/15) Foie de poulet	1,044
Crabe	1,036
Jambon (porc)	1,035
Pétoncles	1,015
Aloyau (T-bone)	1,011
Coeur de poulet	0,984
Poulet/brun	0,981
Amandes	0,944
Fromage suisse	0,925
Fromage brie	0,868

ARGININE (Acide aminé)

Sources par ordre décroissant d'importance:

	Source:	g /100 g :
(89/—/?)	Graines de citrouille	3,979
	Arachides	3,507
	Graines de sésame	3,327
	Noix	2,520
	Amandes	2,493
	Noix du Brésil	2,393
	Graines de tournesol	2,386
	Noisettes	1,837
	Crevettes	1,776
	Thon	1,770
(99/99-99/?)	Noix d'acajou	1,707
	Homard	1,647
	Flétan	1,647
	Crabe	1,600
	Dinde/blanc	1,522
	Sardines	1,475
	Dinde/brun	1,329
	Poulet/blanc	1,267
(14/11-17/8)	Foie de boeuf	1,257
	Truite	1,247
(28/22-33/17)	Foie de dinde	1,225
	Pétoncles	1,224
	Boeuf/ronde	1,222
	Saumon	1,176
	Boeuf/surlonge	1,152
(13/10-15/8)	Foie de canard	1,148
	Jambon (porc)	1,139
	Haddock	1,131
	Sole	1,128
	Boeuf haché (rég.)	1,115
	Maquereau	1,113
(24/19-29/15)	Foie de poulet	1,100
	Hareng	1,075
	Morue	1,066
	Aloyau (T-bone)	1,059

CYSTINE (Acide aminé)

Sources par ordre décroissant d'importance:

	Source:	g /100 g:
	Graines de sésame	0,523
	Graines de tournesol	0,448
	Noix	0,414
	Amandes	0,358
	Noix du Brésil	0,349
	Arachides	0,333
	Thon	0,317
(14/11-17/8)	Foie de boeuf	0,307
(89/—/?)	Graines de citrouille	0,296
	Fromage suisse	0,293
	Blé soufflé	0,292
	Oeuf de poule	0,290
(99/99-99/?)	Noix d'acajou	0,278
	Poulet/blanc	0,270
(28/22-33/17)	Foie de dinde	0,269
	Jambon (porc)	0,264
(13/10-15/8)	Foie de canard	0,252
(24/19-29/15)	Foie de poulet	0,241
	Dinde/blanc	0,238
(63/91—/68)	Son en flocons	0,230
	Crevettes	0,228
	Truite	0,224
	Poulet/brun	0,224
	Pétoncles	0,220
	Boeuf/ronde	0,217
	Saumon	0,213
	Coeur de poulet	0,213
	Flétan	0,211
	Homard	0,211
	Dinde/brun	0,208
	Blé boudiné	0,208
	Crabe	0,205
	Haddock	0,204
	Boeuf/surlonge	0,204
	Sole	0,202

GLYCINE (Acide aminé)

Sources par ordre décroissant d'importance:

	Source:	g /100 g :
	Graines de sésame	1,893
	Arachides	1,799
(89/——/?)	Graines de citrouille	1,771
	Graines de tournesol	1,448
	Thon	1,418
	Dinde/blanc	1,306
	Poulet/blanc	1,284
	Amande	1,232
	Boeuf haché (rég.)	1,230
	Crevettes	1,224
	Sardines	1,179
(28/22-33/17)	Foie de dinde	1,157
(14/11-17/8)	Foie de boeuf	1,142
	Homard	1,134
	Flétan	1.134
	Poulet/brun	1,125
	Dinde/brun	1,125
	Crabe	1,104
(13/10-15/8)	Foie de canard	1,089
	Boeuf/ronde	1,057
	Pétoncles	1,051
(24/19-29/15)	Foie de poulet	1,044
	Truite	0,996
	Boeuf/surlonge	0,993
	Saumon	0,953
	Canard	0,927
	Aloyau (T-bone)	0,916
	Jambon(porc)	0,912
	Haddock	0,908
	Noix	0,906
	Sole	0.905
	Maquereau	0,893
	Coeur de poulet	0,869
	Hareng	0,862
	Morue	0,855

HISTIDINE (Acide aminé)

Sources par ordre décroissant d'importance:

	Source:	g /100 g:
	Fromage suisse	1,079
	Fromage gouda	1,046
	Fromage cheddar	0,886
	Thon	0,873
	Fromage brick	0,832
	Arachides	0,758
	Fromage mozzarella	0,739
	Fromage brie	0,725
	Sardines	0,725
	Fromage camembert	0,693
	Graines de sésame	0,680
(89/—/?)	Graines de citrouille	0,671
	Boeuf/ronde	0,663
	Dinde/blanc	0,650
	Jambon (porc)	0,628
	Boeuf/surlonge	0,623
	Flétan	0,613
	Truite	0,611
	Poulet/blanc	0,597
	Saumon	0,584
	Aloyau (T-bone)	0,573
	Dinde/brun	0,570
	Amandes	0,558
	Haddock	0,556
	Sole	0,555
	Maquereau	0,548
(14/11-17/8)	Foie de boeuf	0,547
(28/22-33/17)	Foie de dinde	0,532
	Hareng	0,529
	Boeuf haché (rég.)	0,529
	Morue	0,524
(13/10-15/8)	Foie de canard	0,498
	Poulet/brun	0,485
(24/19-29/15)	Foie de poulet	0,478
	Noix	0,431
	Fromage cottage	0,415

PROLINE (Acide aminé)

Sources par ordre décroissant d'importance:

	Source:	g /100 g :
	Fromage suisse	3,714
	Fromage gouda	3,286
	Fromage cheddar	2,843
	Fromage brick	2,607
	Fromage brie	2,489
	Fromage camembert	2,375
	Fromage mozzarella	2,025
	Blé soufflé	1,533
	Fromage cottage	1,443
	Graines de sésame	1,360
	Arachides	1,264
	Noix	1,239
	Amandes	1,232
	Graines de tournesol	1,172
	Blé (Shredded Wheat)	1,081
(14/11-17/8)	Foie de boeuf	1,053
	Thon	1,048
	Dinde/blanc	1,006
(63/91—/68)	Son en flocons	1,006
(89/—/?)	Graines de citrouille	1,000
(28/22-33/17)	Foie de dinde	0,990
	Poulet/blanc	0,966
(13/10-15/8)	Foie de canard	0,930
(24/19-29/15)	Foie de poulet	0,891
	Dinde/brun	0,875
	Sardines	0,871
	Boeuf/ronde	0,855
	Boeuf haché (rég.)	0,843
	Poulet/brun	0,831
	Boeuf/surlonge	0,804
	Coeur de poulet	0,787
	Noix du Brésil	0,764
	Jambon(porc)	0,749
	Aloyau (T-bone)	0,740
	Truite	0,734

SÉRINE (Acide aminé)

Sources par ordre décroissant d'importance:

Source:	g /100 g:
Fromage suisse	1,661
Fromage gouda	1,564
Fromage cheddar	1,475
Arachides	1,451
Graines de sésame	1,313
Fromage brick	1,307
Thon	1,212
Fromage brie	1,182
(89/——/?) Graines de citrouille	1,129
Fromage mozzarella	1,146
Fromage camembert	1,129
Graines de tournesol	1,069
Sardines	1,004
(14/11-17/8) Foie de boeuf	0,965
Noix	0,938
Oeuf de poule	0,922
Amandes	0,901
Truite	0,847
(99/99-99/?) Noix d'acajou	0,836
Dinde/brun	0,836
Saumon	0,811
Blé soufflé	0,808
(13/10-15/8) Foie de canard	0,807
Crevettes	0,800
(24/19-29/15) Foie de poulet	0,772
Haddock	0,771
Sole	0,769
Maquereau	0,759
Pétoncles	0,752
Noix du Brésil	0,743
Boeuf/ronde	0,740
Flétan	0,740
Hareng	0,733
Morue	0,726
Crabe	0,720
Jambon(porc)	0,718

TYROSINE (Acide aminé)

Sources par ordre décroissant d'importance:

	Source:	g /100 g:
	Fromage suisse	1,714
	Fromage gouda	1,471
	Arachides	1,250
	Fromage cheddar	1,218
	Fromage brie	1,214
	Fromage mozzarella	1,136
	Fromage brick	1,129
	Graines de sésame	1,127
	Fromage camembert	1,161
(89/—/?)	Graines de citrouille	1,007
	Thon	1,000
	Sardines	0,829
	Dinde/blanc	0,817
(14/11-17/8)	Foie de boeuf	0,794
	Dinde/brun	0,717
	Amandes	0,704
(28/22-33/17)	Foie de dinde	0,704
	Truite	0,701
	Crevettes	0,676
	Saumon	0,671
	Fromage cottage	0,662
	Graines de tournesol	0,661
	Canard	0,659
	Poulet/blanc	0,655
	Boeuf/ronde	0,650
	Haddock	0,638
	Sole	0,636
(24/19-29/15)	Foie de poulet	0,631
	Maquereau	0,628
	Homard	0,626
	Flétan	0,626
	Boeuf/surlonge	0,612
	Crabe	0,609
	Hareng	0,606
	Morue	0,601

2.3.1   CALCIUM (minéral)

Sources par ordre décroissant d'importance:

	Source:	mg /100 g :
	Fromage suisse	971,429
	Fromage cheddar	728,571
	Fromage gouda	707,143
	Fromage brick	682,000
	Fromage mozzarella	525,000
	Fromage camembert	392,000
	Sardines	383,333
	Amandes	233,800
	Noisettes	208,000
	Fromage Brie	185,714
	Noix du Brésil	185,000
	Cresson	151,430
	Figues sèches	142.328
	Lait de chèvre	133,607
	Lait 2 %	121,700
(82/66-99/49)	Feuilles de betterave	121,053
	Yogourt	120,705
	Graines de tournesol	120,000
	Graines de sésame	110,000
	Noix	99,000
(28/22-33/17)	Epinards	92,727
	Arachides	72,222
(78/63-94/47)	Ciboulette	66,667
	Fromage cottage	60,000
	Hareng	57,647
	Oeuf de poule	56,000
	Crevettes	51,765
(89/—/ ?)	Graines de citrouille	50,714
	Brocoli	47,727
(78/—/?)	Huîtres	46,111
	Crabe	45,882
	Chou	45,714
(63/91—/62)	Son en flocons	44,681
	Blé (Shredded Wheat)	43,373
	Truite	42,353

CUIVRE (minéral)

Sources par ordre décroissant d'importance:

	Source:	mg /100 g :
(13/10-15/8)	Foie de canard	5,944
(14/11-17/8)	Foie de boeuf	2,761
(99/99-99/?)	Noix d'acajou	2,014
	Graines de tournesol	1,772
	Homard	1,659
	Flétan	1,659
	Graines de sésame	1,593
	Noix du Brésil	1,529
	Noix	1,390
(89/——/?)	Graines de citrouille	1,357
	Noisettes	1,274
	Crabe	0,922
	Amandes	0,831
(63/91—/62)	Son en flocons	0,683
(28/22-33/17)	Epinards	0,582
(28/22-33/17)	Foie de dinde	0,502
	Blé boudiné	0,500
	Noix de cocotier	0,460
	Arachides	0,431
	Blé soufflé	0,408
(24/19-29/15)	Foie de poulet	0,394
(78/63-94/47)	Ciboulette	0,367
	Pêches séchées	0,364
(78/——/?)	Huîtres	0,344
	Coeur de poulet	0,344
	Figues séchées	0,310
	Dattes	0,288
	Crevettes	0,264
	Ail	0,267
	Patates	0,259
	Canard	0,236
	Saumon	0,212
	Oeuf de poule	0,200

FER (minéral)

Sources par ordre décroissant d'importance:

Source:	mg /100 g :
(13/10-15/8) Foie de canard	30,944
(63/91—/62) Son en flocons	15,957
(78/—/?) Huîtres	13,889
(89/—/?) Graines de citrouille	11,214
(28/22-33/17) Foie de dinde	10,784
(24/19-29/15) Foie de poulet	8,563
Graines de tournesol	7,103
(14/11-17/8) Foie de boeuf	6,823
Coeur de poulet	5,902
Blé soufflé	4,750
Amandes	4,718
Crème de blé	4,104
Pêches sèches	4,062
(99/99-99/?) Noix d'acajou	3,786
Noix du Brésil	3,429
Noisettes	3,200
(82/66-99/49) Feuilles de betterave	3,158
Blé (Shredded Wheat)	3,136
Noix	3,100
(28/22-33/17) Épinards	3,091
Sardines	2,917
Canard	2,401
Graines de sésame	2,400
Boeuf/surlonge	2,247
Arachides	2,222
Figues sèches	2,212
Oeuf de poule	2,080
Boeuf/ronde	1,872
Noix de cocotier	1,750
Boeuf haché (rég.)	1,735
Cresson	1,714
Dinde/brun	1,691
Aloyau (T-bone)	1,679
(78/63-94/47) Ciboulette	1,667
Maquereau	1,624

MAGNÉSIUM (minéral)

Sources par ordre décroissant d'importance:

	Source:	mg /100 g:
(89/—/?)	Graines de citrouille	527,143
(99/99-99/?)	Noix d'acajou	267,143
	Noix du Brésil	250,714
	Noisettes	231,852
(63/91—/62)	Son en flocons	217,021
	Graines de sésame	180,000
	Arachides	175,000
	Blé (Shredded Wheat)	169,492
	Blé soufflé	141,667
	Noix	131,000
(28/22-33/17)	Épinards	80,000
	Maquereau	75,294
(82/66-99/49)	Feuilles de betterave	73,684
(78/63-94/47)	Ciboulette	66,667
	Figues sèches	58,730
	Pétoncles	56,471
	Noix de cocotier	46,250
	Pêches sèches	41,538
	Graines de tournesol	39,310
	Haddock	38,824
	Maïs	37,662
	Sardines	37,500
	Crevettes	36,471
	Crabe	36,235
	Fromage suisse	35,000
	Dattes	34,900
	Thon	29,697
	Avocat	29,044
	Fromage cheddar	28,571
	Fromage gouda	28,571
	Brocoli	25,000
	Fromage brick	25,000
	Fèves vertes	24,545
	Gruau	23,932
	Dinde/blanc	23,889
	Poulet/blanc	23,276
	Truite	22,3533

MANGANÈSE (minéral)

Sources par ordre décroissant d'importance:

	Source:	mg /100 g :
	Noisettes	4,200
	Blé boudiné	3,072
	Noix du Brésil	2,786
	Graines de tournesol	2,000
	Amandes	1,901
	Noix	1,800
	Ananas	1,645
	Radis	1,645
	Arachides	1,507
	Riz soufflé	1,500
	Noix de cocotier	0,313
	Truite	0,851
(28/22-33/17)	Épinards	0,764
	Gruau	0,585
(-/81—/61)	Cresson	0,540
(78/—/?)	Huîtres	0,500
	Pois verts	0,410
	Figues séchées	0,384
	Betteraves	0,346
	Pêches sèches	0,305
	Dattes	0,298
	Fraises	0,290
(28/22-33/17)	Foie de dinde	0,288
	Bleuets	0,282
(14/11-17/8)	Foie de boeuf	0,264
	Patates	0,263
	Foie de poulet	0,259
	Brocoli	0,227
	Fèves vertes	0,214
	Asperges	0,213
	Chou-fleur	0,200

PHOSPHORE (minéral)

Sources par ordre décroissant d'importance:

	Source:	mg /100 g :
	Graines de tournesol	837,241
(89/—/?)	Graines de citrouille	795,000
	Noix du Brésil	692,000
(63/91—/62)	Son en flocons	629,000
	Fromage suisse	610,714
	Graines de sésame	592,000
	Fromage gouda	553,571
	Fromage cheddar	517,857
	Amandes	504,000
	Sardines	491,000
	Fromage brick	457,143
	Arachides	406,944
	Noix	380,000
	Fromage mozzarella	375,000
(99/99-99/?)	Noix d'acajou	372,857
	Blé (Shredded Wheat)	364,407
	Blé soufflé	358,333
	Fromage camembert	350,000
	Noisettes	337,037
(14/11-17/8)	Foie de boeuf	318,584
(28/22-33/17)	Foie de dinde	312,000
(24/19-29/15)	Foie de poulet	271,875
(13/10-15/8)	Foie de canard	268,182
	Jambon(porc)	247,000
	Truite	244,000
	Hareng	236,000
	Crabe	218,000
	Pétoncles	218,000
	Maquereau	216,000
	Crevettes	205,000
	Morue	203,000
	Saumon	200,000
	Ail	200,000
	Homard	195,000
	Flétan	195,000
	Fromage brie	189,000
	Boeuf/ronde	186,000

POTASSIUM (minéral)

Sources par ordre décroissant d'importance:

Source:	mg /100 g:
Pêches sèches	0,946
Graines de tournesol	0,920
Amandes	0,773
Noix du Brésil	0,715
Figues sèches	0,704
Noisettes	0,703
Arachides	0,700
Dattes	0,651
(82/66-99/49) Feuilles de betterave	0,547
Ail	0,533
Saumon	0,490
(28/22-33/17) Épinards	0,470
(99/99-99/?) Noix d'acajou	0,464
Noix	0,450
Avocat	0,442
Morue	0,412
Patate	0,407
Graines de sésame	0,406
Sardines	0,395
Champignons	0,371
Truite	0,361
Sole	0,361
Chou-fleur	0,356
Blé soufflé	0,350
Jambon (porc)	0,332
Hareng	0,327
Blé (Shredded Wheat)	0,326
Brocoli	0,325
(18/14-21/11) Carottes	0,323
Betterave	0,323
(14/11-17/8) Foie de boeuf	0,323
Pétoncles	0,315
Boeuf/surlonge	0,315
Maquereau	0,314
(78/—/?) Huîtres	0,313
Thon	0,313
Haddock	0,310

SÉLÉNIUM (minéral)

Sources par ordre décroissant d'importance:

Source:	mcg /100 g:
Crevettes	212,941
Homard	210,588
Flétan	110,588
Noix du Brésil	102,857
Pétoncles	82,118
(78/—/?) Huîtres	55,000
(14/11-17/8) Foie de boeuf	45,575
Morue	43,765
Boeuf/ronde	36,344
Sole	35,765
Boeuf haché(rég.)	20,796
Champignons	12,200
Fromage suisse	10,107
Oeuf de poule	6,400
Fromage cottage	5,381
Chou	2,200
Noisettes	2,000
(18/14-21/11) Carottes	2,000
Amandes	1,972
Oignons	1,563
Orange	1,389

SODIUM (minéral)

Sources par ordre décroissant d'importance:

Source:	mg /100 g:
Jambon (Porc)	1315,859
(63/91—/62) Son en flocons	917,021
Fromage camembert	853,571
Crabe	836,471
Fromage gouda	828,571
Fromage brie	635,714
Fromage cheddar	628,571
Fromage brick	567,857
Sardines	504,167
Fromage cottage	404,762
Fromage mozzarella	378,571
Thon	356,364
Flétan	320,000
Homard	320,000
Oeuf de poule	138,000
(28/22-33/17) Foie de dinde	96,078
Hareng	89,412
Maquereau	89,412
Céleri	88,333
Coeur de poulet	81,967
Sole	81,176
(24/19-29/15) Foie de poulet	78,125
Poulet/brun	73,125
(14/11-17/8) Foie de boeuf	72,566
Betterave	72,059
Dinde/brun	71,053
(28/22-33/17) Epinards	70,909
Haddock	68,235
Boeuf haché.(rég.)	68,142
Poulet/blanc	65,517
Canard	63,066
Dinde/blanc	58,889
(78/—/?) Huîtres	55,556
Morue	54,118
Truite	51,765
Boeuf/surlonge	51,542

ZINC (minéral)

Sources par ordre décroissant d'importance:

	Source:	mg /100 g:
	Graines de sésame	10,267
(89/—/?)	Graines de citrouille	7,357
	Coeur de poulet	6,557
	Crabe	5,941
(63/91—/62)	Son en flocons	5,319
	Noix du Brésil	5,071
	Graines de tournesol	5,034
(99/99-99/?)	Noix d'acajou	4,357
	Fromage suisse	3,964
	Fromage gouda	3,964
(14/11-17/8)	Foie de boeuf	3,920
	Boeuf haché (rég.)	3,549
	Boeuf/surlonge	3,414
	Arachides	3,319
	Fromage cheddar	3,143
(24/19-29/15)	Foie de poulet	3,063
	Homard	3,024
	Flétan	3,024
	Boeuf/ronde	3,018
	Noisettes	2,963
	Dinde/brun	2,954
	Amandes	2,915
	Aloyau (T-bone)	2,885
	Fromage Brick	2,643
	Blé (Shredded Wheat)	2,500
(28/22-33/17)	Foie de dinde	2,480
	Fromage camembert	2,429
	Blé soufflé	2,300
	Noix	2,260
	Fromage mozzarella	2,250
	Jambon(porc)	2,134
	Poulet/brun	1,581
	Dinde/blanc	1,567
	Oeuf de poule	1,440
	Orange	1,389
(78/—/?)	Huîtres	1,367
	Canard	1,362

VITAMINE A

Sources par ordre décroissant d'importance:

Source:	U.I. /100g:	mg/100g:
(13/10-15/8) Foie de canard	39,906	23,944
(14/11-17/8) Foie de boeuf	35,346	21,208
(18/14-21/11) Carottes	28,129	16,877
(24/19-29/15) Foie de poulet	20,550	12,330
(28/22-33/17) Foie de dinde	18,042	10,825
(62/49-74/37) Épinards	8,109	4,865
(78/63-94/47) Ciboulette	6,400	3,840
(82/66-99/49) Feuilles de betterave	6,073	3,644
(-/81 /61) Cresson	4,914	2,948
(63/91/6) Flocons de son	4,408	2,644
Laitue romaine	2,600	1,560
Brocoli	1,540	0,924
Tomate.	1,133	0,679
Fromage brick.	1,096	0,658
Fromage cheddar	1,071	0,643
Fromage camembert	0,935	0,561
Asperges	0,897	0,538
Fromage suisse	0,857	0,514
Fromage mozzarella.	0,803	0,486
Fromage brie.	0,675	0,445
Fèves vertes	0,668	0,400
Fromage gouda.	0,653	0,391
Pois verts.	0,639	0,383
Piments doux	0,530	0,318
Oeuf de poule	0,520	0,312
Avocat	0,452	0,271
Pêche	0,404	0,244

VITAMINE B-1 (Thiamine).

Sources par ordre décroissant d'importance:

	Source:	mg /100 g:
	Graines de tournesol	1,959
(63/91—/68)	Flocons de son	1,277
	Noix du Brésil	0,957
	Jambon (Porc)	0,859
	Noisettes	0,459
(99/99-99/?)	Noix d'acajou	0,429
	Ail	0,333
	Noix	0,330
	Truite	0,326
	Arachide	0,319
	Blé (Shredded Wheat)	0,297
	Pois verts	0,265
(14/11-15/8)	Foie de boeuf	0,258
(89/—/?)	Graines de citrouille	0,243
	Amandes	0,239
	Saumon	0,224
	Canard	0,197
	Maquereau	0,176
	Coeur de poulet	0,148
(24/19-29/15)	Foie de poulet	0,135
	Maïs	0,135
	Asperges	0,112
	Boeuf/surlonge	0,111
(28/22-33/17)	Epinards	0,109
	Champignons	0,103
	Patate	0,100
	Laitue romaine	0,100
(78/63-94/47)	Ciboulette	0,100
(82/66-99/49)	Feuilles de betterave	0,100
(78/—/?)	Huîtres	0,100

VITAMINE B-2 (Riboflavine).

Sources par ordre décroissant d'importance:

Source:	mg /100 g;
(14/11-15/8) Foie de boeuf	2,779
(28/22-33/17)Foie de dinde	2,167
(24/19-29/15)Foie de poulet	1,963
(63/91—/68)Flocons de son	1,489
Amandes	0,923
Noisettes	0,547
Fromage brie	0,525
Fromage camembert	0,493
Champignons	0,429
Fromage cheddar	0,379
Saumon	0,376
Fromage suisse	0,368
Fromage brick	0,357
Fromage gouda	0,339
(89/—/ ?) Graines de citrouille	0,316
Maquereau	0,312
Oeuf de poule	0,300
Blé boudiné	0,254
Jambon (porc)	0,251
Blé soufflé	0,250
(99/99-99/?) Noix d'acajou	0,250
Fromage mozzarella	0,246
Graines de tournesol	0,228
Sardines	0,225
Pêches séchées	0,212
(78/—/?) Huîtres	0,211
(82/66-99/49)Feuilles de betterave	0,211
Canard	0,210
Dinde/brun	0,202
(62/49-74/37)Épinards	0,200

VITAMINE B-3 (Niacine)

Sources par ordre décroissant d'importance:

	Source:	mg/100 g:
(63/91—/62)	Flocons de son	17,660
	Arachides	17,083
(14/11-15/8)	Foie de boeuf	12,743
	Thon	11,515
	Blé soufflé	10,833
(28/22-33/17)	Foie de dinde	10,147
(24/19-29/15)	Foie de poulet	9,250
	Truite	8,941
	Poulet/blanc	8,879
	Saumon	7,859
	Graines de sésame	5,400
	Graines de tournesol	5,379
	Sardines	5,250
	Jambon (Porc)	5,242
	Poulet/brun	5,206
	Dinde/blanc	5,133
	Coeur de poulet	4,885
	Blé (Shredded Wheat)	4,576
	Boeuf haché (rég.)	4,478
	Pêches séchées	4,369
	Champignons	4,114
	Canard	3,937
	Amandes	3,521
	Boeuf/ronde	3,518
	Aloyau (T-bone)	3,260
	Hareng	3,224
	Boeuf/surlonge	3,062
	Riz soufflé	3,000
	Sole	2,894
	Dinde/brun	2,855
	Crevettes	2,553
(89/—/ ?)	Graines de citrouille	2,429
	Dattes	2,193
	Pois verts	2,089
	Morue	2,059

VITAMINE B-5 (Acide Pantothénique).

Sources par ordre décroissant d'importance:

Source:	mg/100 g :
(28/22-33/17) Foie de dinde	7,657
(14/11-17/8) Foie de boeuf	7,611
(24/19-29/15) Foie de poulet	6,188
Coeur de poulet	2,557
Champignons	2,200
Arachides	2,083
Truite	1,941
Oeuf de poule	1,728
Saumon	1,647
Flétan	1,635
Homard	1,635
Fromage camembert	1,382
Graines de tournesol	1,379
(99/99-99/?) Noix d'acajou	1,300
Noisettes	1,141
Dinde/brun	1,033
Poulet/brun	0,994
Canard	0,951
Noix	0,900
Maquereau	0,856
Blé (Shredded Wheat)	0,814
Poulet/blanc	0,794
Dattes	0,780
Maïs	0,760
Pêche	0,749
Avocat	0,717
Fromage brie	0,700
Figues séchées	0,688
Graines de sésame	0,680
Hareng	0,645
Sardines	0,642
Crabe	0,635
Dinde/blanc	0,611
Abricot	0,558
Brocoli	0,534
Blé soufflé	0,517
Sole	0,504

VITAMINE B-6 (Pyridoxine).

Sources par ordre décroissant d'importance:

Source:	mg /100 g:
(63/91—/62) Son en flocons	1,702
Truite	1,682
Graines de tournesol	1,241
(14/11-17/8) Foie de boeuf	0,938
Saumon	0,818
(28/22-33/17) Foie de dinde	0,765
(24/19-29/15) Foie de poulet	0,750
Noix	0,730
Noisettes	0,544
Poulet/blanc	0,483
Dinde/blanc	0,478
Boeuf/ronde	0,445
Arachides	0,400
Maquereau	0,399
Boeuf/surlonge	0,377
Bananes	0,377
Aloyau (T-bone)	0,348
Coeur de poulet	0,328
Dinde/brun	0,322
Crabe	0,320
Hareng	0,302
Haddock	0,300
(62/49-74/37) Épinards	0,255
Blé boudiné	0,254
Morue	0,245
Poulet/brun	0,244
Boeuf haché (rég.)	0,239
Fromage brie	0,239
Thon	0,236
(99/99-99/?) Noix d'acajou	0,232
Chou-fleur	0,230
Fromage camembert	0,229
Figues séchées	0,222
Sole	0,208
Avocat	0,206

VITAMINE B-8 (Biotine).

Sources par ordre décroissant d'importance:

Source:	mcg /100 g :
(14/11-17/8) Foie de boeuf	103,500
Noix	37,000
Arachides	34,000
Oeuf de poule	22,000
Sardines(essorées)	21,200
Amandes	17,606
Champignons	16,000
Coeur de poulet	13,115
(62/49-74/37) Épinards	6,364
Flétan	5,341
Homard	5,341
Crabe	5,341
Fromage camembert	3,571
Fromage cheddar	3,571
Banane	3,429
(18/14-21/11) Carotte	2,727
Melon	2,500
Maquereau	2,118
Lait de chèvre	2,049
Saumon	2,000
Raisins	2,000
Pêche	1,739
Tomate	1,626
(78/—/?) Huîtres	1,556
Chou-fleur	1,500
Maïs	1,266
Pomme	1,200
Fraises	1,074
Orange	1,000

VITAMINE B-9 (Acide folique)

Sources par ordre décroissant d'importance:

Source:	mcg/100 g :
(24/19-29/15) Foie de poulet	737,000
(28/22-33/17) Foie de dinde	737,000
(63/91—/62) Son en flocons	353,190
(14/11-17/8) Foie de boeuf	248,000
Laitue romaine	135,700
Asperges	119,400
Betterave	92,647
Brocoli	70,455
Chou-fleur	66,000
Coeur de poulet	65,500
Pois verts	65,068
Fromage Brie	64,200
Fromage camembert	64,200
Oeuf de poule	64,000
Chou	55,000
Blé boudiné	50,800
Maïs	45,844
Avocat	45,588
Fèves vertes	36,364
Blé soufflé	33,333
Orange	22,056
Riz soufflé	21,429
Fromage Brick	21,429
Fromage Gouda	21,429
Champignons	21,143
Oignons	19,875
Fromage cheddar	17,857
Fraises	17,718
Aubergine	17,561
Navet	17,561
Piment doux	16,800
Concombre	13,846
Truite	13,214
Canard	12,892
Patates	12,800
Dattes	12,530
Fromage cottage	12,381
Bananes	12,457

VITAMINE B-12 (Cobalamine).

Sources par ordre décroissant d'importance:

Source:	mcg /100 g:
(14/11-17/8) Foie de boeuf	69,204
(28/22-33/17) Foie de dinde	63,627
(13/10-15/8) Foie de canard	53,864
(78/—/?) Huîtres	49,444
(24/19-29/15) Foie de poulet	22,969
Hareng	13,647
Crabe	10,682
Sardines	8,838
Maquereau	8,706
Truite	7,765
Coeur de poulet	7,213
(63/91—/62) Son en flocons.	5,319
Saumon	3,176
Boeuf/surlonge	2,771
Boeuf/ronde	2,689
Boeuf haché (rég.)	2,646
Aloyau (T-bone)	2,555
Fromage suisse	1,696
Fromage brie	1,671
Oeuf de poule	1,546
Pétoncles	1,529
Sole	1,518
Fromage camembert	1,311
Fromage Brick	1,271
Haddock	1,200
Crevettes	1,161

VITAMINE C (Acide ascorbique)

Sources par ordre décroissant d'importance:

Source:	mg /100 g:
Piment doux	128,000
Brocoli	93,000
(78/63-94/47) Ciboulette	80,000
(-/81—/61) Cresson	80,000
Chou-fleur	71,000
Fraises	56,700
(28/22-33/17) Épinards	50,900
Chou	47,143
Pois verts	40,000
Orange	38,722
(24/19-29/15) Foie de poulet	33,750
Asperges	32,000
Laitue romaine	23,900
(14/11-17/8) Foie de boeuf	22,389
Courge	22,000
Patate	20,000
Tomate	17,560
Fèves vertes	16,200
Ananas	15,400
Bleuets	13,034
Betterave	11,029
Raisins	10,813
Noix du Brésil	10,000
Saumon	9,647
Melon	9,625
Abricot	9,298
(18/14-21/11) Carottes	9,091
Prunes	9,000
Oignons	8,375
Maïs	6,883
Laitue iceberg	6,667
Céleri	6,333
Banane	5,886
Avocat	5,846
Pommes	5,200

VITAMINE E (Tocophérols, tocotriénols)

Sources par ordre décroissant d'importance:

Source:	mg /100 g:
Noisettes	20,741
Amandes	15,000
Concombre	8,077
Arachides	6,500
Noix du Brésil	6,500
(28/22-33/17) Épinards	2,273
Pois verts	2,123
Hareng	2,118
Asperges	1,933
Maquereau	1,706
Noix	1,500
(14/11-17/8) Foie de boeuf	1,407
Oeuf de poule	1,140
Noix de cocotier	1,000

INDEX ALPHABÉTIQUE DES SUJETS

-A-

-B-

-D-

-E-

-G-

-I-

Mucus cf poumon

Muguet cf candida

Muscles cf coeur

Mycose cf candida

Myéline cf système nerveux-myéline

-N-

Nerveux cf trouble(s) du comportement

Nervosité cf trouble(s) du comportement

Neutrophiles cf système immunitaire- globules blancs

Neuro-inhibiteur cf cerveau

Neuro-stimulateur cf cerveau

     cf sinusite

-O-

-P-

-Q-

Y-

W-

Wilson cf maladie -de ...
Workalcoolic cf Troubles du comportement-hyperactivité

Z-

Zéine cf profil d'assimilation -maïs
Zinc cf élément(s) -...

BIBLIOGRAPHIE

1- PASTEUR, Jean-Louis. *Toutes les vitamines pour vivre sans médicaments.* Paris, J'ai lu, 1994, 271 p.

2- MINDELL, Earl. *Earl Mindell's new and revised Vitamin Bible,* New York, Warner Books, 1985, 345 p.

3- MINDELL, Earl. *Earl Mindell's Anti-Aging Bible,* New York, Warner Books, 1996, 336p.

4- RUEFF, Dominique. *La bible des vitamines et des suppléments nutritionnels,* Paris, Albin Michel, 1993, 327 p.

5- CREFF, Albert-François et Léone BÉRARD. *Dictionnaire de la nouvelle diététique,* Paris, Robert Laffont, 1984, 607 p.

6- Austin Nutritionnal Research, site Internet. 1996.

7- TVER, David F. and Percy RUSSELL ph.d. *Nutrition and Health Encyclopedia,* New York, Van Nostrand Reinhold, 1981, 567 p.

8- BALCH, James F. m.d. and Phyllis A. BALCH, c.n.c. *Prescription for NUTRITIONAL HEALING,* New York, Avery Publishing Group, 1990, 368 p.

9- BALCH, James F. m.d. and Phyllis A. BALCH, c.n.c. *Prescription for NUTRITIONAL HEALING,* New York, Avery Publishing Group, 1997, 600 p.

10- DUNNE, Lavon J. *Nutrition Almanach,* New York, McGraw-Hill, 1990, 340 p.

11- MASSÉ, Priscille ph.d. *La nutrition: l'alliée de la médecine moderne,* Boucherville, Gaétan Morin, 1987, 527 p.

12- DELAGE, Jocelyne. « Monoxyde d'azote », *La Presse,* Montréal, 3 août 1997.

13- KIRSCHMANN Gayla J. and John D. KIRSCHMANN. *Nutrition Almanach,* New York, McGraw-Hill, 1996, 494 p.

14- PRESSMAN, Alan H. d.c. ; ph,d. ; c.c.n.. *The G.S.H. Phenomenon,* St Martin's Press, extrait paru dans *The Expert's Optimal Health Journal,* Apprise Publishing, 1997, cité dans un publi-reportage sur le Jimmocal©

15- « New choices in natural Healing », *Prevention magazine* Health Books, 1996.

16- « A crucial kink », *Discover,* Avril 1994, volume 5, numéro 4, p. 22.

17- MONGEAU, Serge et Marie ROY l.ph. *Nouveau dictionnaire des médicaments,* Montréal, Québec/Amérique, 1988, 864 p.